Um episódio na vida
do pintor viajante

FÓSFORO

CÉSAR AIRA

Um episódio na vida do pintor viajante

Tradução do espanhol por
JOCA WOLFF E PALOMA VIDAL

Posfácio por
LUCIENE AZEVEDO

HOUVE POUCOS PINTORES VIAJANTES realmente bons no Ocidente. O melhor de que temos notícias e abundante documentação foi o grande Rugendas, que esteve duas vezes na Argentina; a segunda, em 1847, deu-lhe a oportunidade de registrar as paisagens e tipos rio-platenses — com tanta abundância que se calcula em duzentos os quadros que ficaram em mãos particulares neste recanto do mundo — e serviu para desmentir o seu amigo e admirador Humboldt, ou, antes, uma interpretação simplista da teoria de Humboldt, que quis restringir o talento do pintor aos excessos orográficos e botânicos do Novo Mundo. Mas o desmentido na verdade foi antecipado dez anos antes, na primeira visita, breve e dramática, interrompida por um estranho episódio que marcou de modo irreversível a sua vida.

Johann Moritz Rugendas nasceu na imperial cidade de Augsburg em 29 de março de 1802, filho, neto e bisneto de prestigiados pintores de gênero; um antepassado seu, Georg Philipp Rugendas, foi famoso por seus quadros de batalhas. Os Rugendas emigraram da Catalunha (mas a família tinha origens flamengas) em 1608 e se instalaram em Augsburg em busca de um clima social mais favorável ao seu credo protestante. O primeiro Rugendas alemão foi relojoeiro artístico; todos que o seguiram foram pintores. Johann Moritz deu prova da sua vocação desde os quatro anos. Desenhista dotado, destacou-se no ateliê de Albrecht Adam e depois na Academia de Arte de Munique. Aos dezenove anos teve a oportunidade de viajar para a América na expedição dirigida pelo barão Langsdorff e financiada pelo tsar da Rússia. Sua missão era a mesma que cem anos depois teria cumprido um fotógrafo: documentar graficamente os achados que fizessem e as paisagens que atravessassem.

Nesse ponto é preciso voltar um pouco para trás a fim de se ter uma ideia mais clara do trabalho que o jovem artista iniciava. A história da família não era tão longa como pôde parecer no parágrafo anterior. Seu bisavô, Georg Philipp Rugendas (1666-1742), foi o iniciador da dinastia de pintores. E fez isso por ter perdido a mão direita na juventude; a mutilação o incapacitou para o ofício de relojoeiro, que era o tradicional da família e para o qual se preparara desde a infância. Teve de aprender a usar a mão esquerda e com ela manipular lápis e pincel. Especializou-se na representação de batalhas e obteve um formidável sucesso derivado da precisão sobrenatural do seu desenho, esta derivada da sua formação de relojoeiro e do uso da mão esquerda, que, não sendo a que teria empregado naturalmente, obrigava-o a uma metódica deliberação. O contraste elegante de detalhismo congelado na forma e fragor violento no tema fez dele um pintor único. Seu protetor e cliente principal foi

Carlos XII da Suécia, o rei guerreiro, cujas batalhas pintou seguindo os exércitos das neves hiperbóreas até a ardente Turquia. Na idade madura foi próspero tipógrafo e comerciante de selos, consequência natural da sua técnica de documentação bélica. Aos três filhos, Georg Philipp, Johann e Jeremy, deixou como herança esse comércio e a técnica. O filho do primeiro deles foi Johann Christian (1775-1826), pai do nosso Rugendas, que encerrou o ciclo pintando as batalhas de Napoleão, outro rei guerreiro.

Pois bem, depois de Napoleão se iniciou na Europa o "século de paz" em que o ramo do ofício em que a família se especializara teve necessariamente de se atenuar. O jovem Johann Moritz, um adolescente na época de Waterloo, precisou se reconverter de repente. Da aprendizagem no ateliê de Adam, pintor de batalhas, passou às aulas de pintura da Natureza na Academia de Munique. A "Natureza" que podia ter mercado em quadros e estampas era a exótica e distante, o que complementou sua vocação artística com a do viajante; o rumo desta última logo lhe foi indicado pela oportunidade da expedição mencionada. No umbral dos vinte anos, abria-se para ele um mundo já feito e também, ao mesmo tempo, por fazer, mais ou menos como aconteceu na mesma época com o jovem Darwin. O Fitzroy de Rugendas foi o barão Georg Heinrich von Langsdorff, que no curso da travessia atlântica se revelou "intratável e lunático", a tal ponto que, ao chegar ao Brasil, o artista se separou da expedição, na qual foi substituído por outro pintor documentalista de talento, Taunay. Livrou-se de muitos problemas com sua decisão, porque essa expedição acabou mal: Taunay morreu afogado no Guaporé e, no meio da selva, Langsdorff perdeu a pouca razão que lhe restava. Rugendas, por sua vez, ao cabo de quatro anos de excursões e trabalhos pelas províncias do Rio de Janeiro, Minas Gerais, Mato Grosso, Espírito Santo e Bahia, retornou para a Europa e publicou um belo livrinho ilustrado, o *Viagem pitoresca através do Brasil* (o texto foi redigido por Victor Aimé Huber com base nas anotações do pintor), que fez sua fama e o pôs em contato com o proeminente naturalista Alexander von Humboldt, com quem colaborou em algumas publicações.

Sua segunda e última viagem à América durou dezesseis anos, de 1831 a 1847. México, Chile, Peru, outra vez o Brasil, e a Argentina foram o cenário de seus árduos deslocamentos, e centenas, milhares de quadros, seu resultado. (O catálogo incompleto enumera 3 353 obras dentre óleos, aquarelas e desenhos.) Ainda que a etapa mais elaborada tenha sido a mexicana, e que as selvas e montanhas tropicais tenham constituído sua temática mais característica, o objetivo secreto da longa viagem, que abarcou toda a sua juventude, foi a Argentina, o vazio misterioso que havia no ponto equidistante dos horizontes sobre as planícies imensas. Somente ali, pensava, poderia encontrar o avesso da sua arte... Essa perigosa ilusão o perseguiu por toda a vida. Transpôs os umbrais duas vezes, a primeira em 1837, pelo oeste, atravessando a cordilheira proveniente do Chile; a segunda em 1847, pelo rio da Prata; essa segunda ocasião foi a mais frutífera, mas não saiu do raio de Buenos Aires; na primeira, no entanto, se aventurara em direção ao centro sonhado e, na realidade, chegou a pisar nele por alguns instantes, apesar de o preço pago ter sido exorbitante, como se verá.

Rugendas foi um pintor de gênero. O seu gênero foi a fisionomia da Natureza, procedimento inventado por Humboldt. Esse grande naturalista foi o pai de uma disciplina que em boa medida morreu com ele: a Erdtheorie, ou Physique du Monde, um tipo de geografia artística, captação estética do mundo, ciência da paisagem. Alexander von Humboldt (1769-1859) foi um sábio totalizador, talvez o último; o que pretendia era apreender o mundo na sua totalidade; o caminho que lhe pareceu adequado para fazer isso foi o visual, aderindo assim a uma longa tradição. Mas se afastava dela, uma vez que não se interessava pela imagem solta, o "emblema" de conhecimento, e sim pela soma de imagens coordenadas num quadro abrangente, do qual a "paisagem" era o modelo. O geógrafo-artista devia captar a "fisionomia" da paisagem (tomara o conceito de Lavater) mediante suas marcas características, "fisionômicas", que reconhecia graças a um estudo erudito de naturalista. A calculada disposição de elementos fisionômicos no quadro transmitia à sensibilidade do observador uma soma de informação, não de marcas isoladas, mas sistematizadas para sua captação intuitiva: clima, história, costumes, economia, raça, fauna, flora, regime de chuvas, de ventos... A chave era o "crescimento natural": daí que o elemento vegetal fosse aquele posto em primeiro plano. E daí também que Humboldt buscasse suas paisagens fisionômicas nos trópicos, cuja riqueza vegetativa e velocidade de crescimento eram incomparavelmente maiores que na Europa. Humboldt viveu longos anos em zonas tropicais, da Ásia e da América, e estimulou os artistas formados no seu método a fazê-lo. Com isso, completava o circuito, já que apelava ao interesse do público europeu por essas regiões ainda mal conhecidas e oferecia um mercado para a produção dos pintores viajantes.

Humboldt tinha a maior admiração pelo jovem Rugendas, a quem qualificou de "criador e pai da arte da apresentação pictórica da fisionomia da natureza", frase que teria servido muito bem para descrever a si próprio. Participou com seus conselhos da segunda e grande viagem rugendiana, e o único ponto em que discordaram foi com relação à decisão de incluir a Argentina no itinerário. Ele não queria que seu discípulo gastasse energias abaixo da faixa tropical, e em suas cartas abundavam recomendações desse teor: "Não desperdice seu talento, que consiste sobretudo em desenhar o realmente excepcional da paisagem, como por exemplo picos nevados de montanhas, a flora tropical das selvas, grupos individuais da mesma espécie de plantas, palmas de diferentes idades; avencas, latânias, palmeiras com folhas emplumadas, bambus, cactos cilíndricos, mimosas de flores vermelhas, o ingá (com galhos longos e folhas grandes), malváceas do tamanho de um arbusto com folhas digitais, em especial a árvore das Manitas (*Chiranthodendron*) em Toluca; o famoso Ahuehuete de Atlixco (o milenar *Cupressus disticha*) nos arredores da Cidade do México; as espécies de orquídeas de bela floração nos troncos das árvores quando formam nós redondos recobertos de musgo, estes por sua vez rodeados pelos bulbos musgosos do dendróbio; algumas figuras de mogno caídas e cobertas por orquídeas, cipós e plantas trepadeiras; além disso, outras plantas gramíneas de vinte a trinta pés de altura da família dos bambus, mastruz e diferentes *Foliis distichis*; estudos de filodendros e de *Dracontium*; um tronco de *Crescentia cujete* carregado de frutas que saem dele; um cacaueiro florescendo e cujas flores saem das raízes; as raízes externas de até quatro pés de altura em forma de estacas ou tábuas do *Cupressus disticha*; estudos de uma rocha coberta de algas; nenúfares azuis na água; gustavias (piriguara) e sapucaias em flor; ângulo visto do alto de uma montanha de um bosque tropical de modo que se veem apenas as árvores de copa larga em flor, entre as quais se alçam os troncos lisos das palmeiras como um corredor de colunas, uma selva sobre outra selva; as diferentes fisionomias de materiais do pisang e da helicônia...”.

Somente nos trópicos se encontrava o excesso necessário de formas primárias para caracterizar uma paisagem. Na vegetação, Humboldt tinha reduzido essas formas primárias a dezenove; dezenove tipos fisionômicos, coisa que não tinha nada a ver com a classificação lineana, que opera com a abstração e o isolamento das variações mínimas; o naturalista humboldtiano não era um botânico, mas um paisagista dos processos de crescimento geral da vida. Esse sistema, em grandes linhas, constituía o "gênero" de pintura que Rugendas praticou.

Depois de uma breve temporada no Haiti, Rugendas passou três anos no México, entre 1831 e 1834. Depois desse último ano foi para o Chile, onde viveria por oito anos, com um intervalo de uns cinco meses ocupado pela interrompida viagem à Argentina; o propósito original era atravessar todo o país, até Buenos Aires, e daí subir até Tucumán e depois Bolívia etc. Mas não foi possível.

Partiu em fins de dezembro de 1837 de San Felipe de Aconcágua (Chile), na companhia do pintor alemão Robert Krause, com uma reduzida tropa de cavalos e mulas, e dois guias chilenos. A ideia, que cumpriram, era aproveitar o bom tempo estival para fazer sem pressa a travessia pelos pitorescos passos da cordilheira, tomando notas e pintando tudo o que valesse a pena.

Em poucos dias já estavam no meio da cordilheira, ainda que só fossem poucos se os muitos em que paravam para pintar fossem descontados. A chuva servia-lhes para avançar, com os papéis bem enrolados dentro de tecidos encerados; não houve chuvas na realidade, só umas chuvinhas benévolas, que durante tardes inteiras envolviam a paisagem em brandas marés de umidade. As nuvens baixavam até quase pousarem, mas o mínimo vento era suficiente para levá-las... e trazer outras, por corredores incompreensíveis que pareciam comunicar o céu com o centro da Terra. Nessas mágicas alternâncias os artistas recuperavam visões de sonho, cada vez mais amplas. Os percursos, mesmo que ziguezagueantes no mapa, estendiam-se em linha reta feito flechas. Cada dia era maior, mais distante. À medida que os montes adquiriam peso, o ar se tornava mais leve, mais versátil a sua população meteórica, pura ótica de altos e baixos sobrepostos.

Faziam registros barométricos, calculavam a velocidade do vento com uma biruta e usavam duas ampolas de vidro com grafite líquido como altímetro. Feito uma lanterna de Diógenes, punham à frente o mercúrio do termômetro tingido de cor-de-rosa, numa vara comprida com sininhos. O passo regular da cavalaria produzia um rumor que soava distante; ainda que nos limiares da audição, ele também entrava no regime de ecos do sistema.

E de repente, à meia-noite, explosões, foguetes, morteiros, que ressoaram longamente nas imensidões de rocha, levando fugazes fogos voadores àquelas austeras grandezas, numa miniatura de auspícios: começava o ano de 1838 e os dois alemães tinham levado uma provisão de pirotecnia artística para comemorar. Abriram uma garrafa de vinho francês e brindaram com os guias. Depois disso deitaram para dormir com o rosto de frente para o céu estrelado, esperando a Lua, que, ao surgir das bordas de um cume fosforescente, colocou ponto-final numa sonolenta enumeração de propósitos, projetando-os ao verdadeiro sono.

Rugendas e Krause se davam bem e não faltava assunto para conversarem, embora os dois fossem calados. Já tinham feito algumas viagens pelo Chile, sempre na maior harmonia. O único ponto que constituía um velado problema para Rugendas era a definitiva mediocridade de Krause enquanto pintor, que o impedia de elogiar com sinceridade os seus esforços. Tentava pensar que na pintura de gênero o talento não era necessário, já que tudo era feito segundo um procedimento, mas o fato era que os quadros do seu amigo não valiam nada. Podia reconhecer, por outro lado, o seu domínio técnico e, sobretudo, o seu bom caráter. Krause era muito jovem e tinha tempo para escolher outros rumos; enquanto isso, poderia desfrutar daquelas excursões; mal não lhe fariam. O jovem, por sua vez, tinha a mais viva admiração por Rugendas e sua devoção não era dos menores motivos do prazer que ambos obtinham da companhia. A diferença de idade e talento não se fazia notar porque Rugendas, aos trinta e cinco anos, era tímido e afeminado e desajeitado como um adolescente. O aprumo e os modos aristocráticos de Krause, além da profunda cortesia, encurtavam a distância.

Em quinze dias iniciavam a descida para o outro lado e começaram a acelerar o passo. As montanhas corriam o risco de se tornar um hábito, como eram obviamente para os dois guias, que recebiam por dia. A prática da arte os protegia desse perigo, mas somente a longo prazo; no curto prazo, enquanto se cumpria a aprendizagem do entorno e sua representação, o efeito era o oposto. As conversas que os entretinham durante as lentas cavalgadas e as paradas eram de natureza técnica. Assim que seus olhos vissem algo de novo, suas línguas teriam motivos para se agitar dando conta da diferença. Deve-se ter em conta que o grosso do trabalho que realizavam era preliminar: esboços, apontamentos, anotações. Desenho e escrita confundiam-se nos seus papéis; ficava para depois a elaboração dessas experiências em quadros e gravuras. Estas últimas eram a chave da difusão, e sua reprodução potencialmente infinita devia ser objeto de uma consideração detalhada. O círculo se fechava com a inserção dessas gravuras num livro, acompanhadas pelo texto.

A qualidade da obra de Rugendas não era reconhecida apenas por Krause. Era evidente como pintava bem, sobretudo pela simplicidade que atingira. A simplicidade envolvia tudo nos seus quadros, nacarava a obra e lhe dava a luz de um dia de primavera. Seus trabalhos eram eminentemente compreensíveis, consumando assim os postulados da fisionomia. Dessa compreensão emanava sua reprodução; não apenas o seu único livro publicado foi um sucesso nas livrarias de toda a Europa, como as gravuras que ilustravam o seu *Viagem pitoresca através do Brasil* foram usadas para a fabricação de papéis de parede e até para decorar louças de porcelana da manufatura de Sèvres.

Krause costumava se referir a esse insólito triunfo, entre sério e jocoso, e seu admirado amigo, na solidão da cordilheira, sem testemunhas, aceitava com um sorriso o cumprimento, não atenuado pela suave zombaria carinhosa que o acompanhava. Nesse espírito ouviu a sugestão de usar o desenho do Aconcágua como decoração de uma xicrinha de café: máximos e mínimos conjugavam-se no feliz esforço cotidiano do lápis.

De resto, acertar o desenho do Aconcágua não era tão fácil, como não era com nenhuma montanha em particular. Porque se a montanha é imaginada como um tipo de cone dotado de artísticas irregularidades, será impossível identificar esta ou aquela montanha com base em variações mínimas do ponto a partir do qual esteja sendo enfocada, porque seu perfil muda por inteiro.

Durante aquela travessia rareavam os achados temáticos. Os temas eram importantes na arte de gênero; os dois artistas, cada um no seu nível pessoal de qualidade, faziam uma documentação artística e geográfica da paisagem. E se para a vertical geológica temporal se viravam sozinhos, pois sabiam reconhecer xistos e basaltos, dendritos carboníferos e depósitos de lavas, plantas, musgos e fungos, para a horizontal topográfica precisavam recorrer aos guias chilenos, que se revelaram inesgotáveis minas de nomes. "Aconcágua" era apenas um deles.

Ao quadriculado de verticais e horizontais que compunha a paisagem se sobrepunha o fator humano, também reticular. Os guias agiam sem preconceitos, atentos à realidade. As variações do clima e os caprichos dos seus clientes alemães, pelos quais mostravam uma combinação de respeito e desdém tão razoável que não podia ser ofensiva, faziam o imutável que conheciam de cor palpitar de mistério. Afinal de contas, nos alemães se misturavam do mesmo modo ciência e arte. E mais ainda: misturavam-se, sem se confundir, os diferentes graus de talento de um e de outro.

Viagem e pintura se entrelaçavam como numa corda. Os perigos e inconvenientes de um caminho que, de outra forma, seria acidentado e terrível se transmutavam e iam ficando para trás. E na verdade era terrível: assustava pensar que isso era um caminho, percorrido durante quase todo o ano por viajantes, tropeiros e homens de negócios. Uma pessoa normal o consideraria um dispositivo de suicídio. Pelo ponto central, a dois mil metros de altura e rodeados de cumes que se perdiam nas nuvens, deixava de parecer uma passagem de um ponto a outro e se tornava o mero caminho de saída de todos os pontos ao mesmo tempo. Linhas abruptas, em ângulos impossíveis, árvores crescendo ao contrário em telhados de rocha, encostas que mergulhavam em camadas de neve, sob um sol abrasador. E lanças de chuva que se cravavam em nuvenzinhas amarelas, ágatas enluvadas de musgo, espinhos cor-de-rosa. O puma, a lebre e a cobra eram a aristocracia montanhesa. Os cavalos bufavam alto, começavam a tropeçar e era preciso fazer uma parada; as mulas estavam perpetuamente mal-humoradas.

As longas caminhadas eram vigiadas por cumes de mica. Como tornar verossímeis esses panoramas? Havia lados demais, sobravam faces ao cubo. A contiguidade dos vulcões produzia interiores de céu. Havia grandes explosões de crepúsculo ótico, estendidas pelo silêncio. Em cada canto se desdobravam sóis de bodoque e canhão. Sempre num silêncio de massas descomunais, campos cinzentos pendurados para secar para sempre e respiradouros do tamanho de oceanos. Certa manhã Krause disse que tivera pesadelos, de modo que as conversas desse dia e do seguinte tocaram em temas de mecânica moral e de pacificação. Perguntavam se chegaria o dia em que seriam construídas cidades nesses lugares. O que era preciso para isso? Que houvesse guerras, talvez, e que elas passassem com seus sistemas de lavouras suspensas, suas alfândegas, suas extrações, deixando as fortalezas de pedra desocupadas; um laborioso povo de fronteira, chileno e argentino, poderia vir se assentar e transformar as instalações. Esse era o ponto de vista de Rugendas, sobre o qual provavelmente agiam seus ancestrais de arte bélica. Krause, por sua vez, a despeito do seu temperamento mundano, inclinava-se pela colonização mística. Uma cadeia homóloga de mosteiros, nos picos mais inacessíveis da pedra, poderia derramar inovadores budismos até muito fundo no inacessível, e o rugido das trombetas despertaria gigantes e anões da indústria andina. Deveríamos desenhar isso, diziam. Mas quem acreditaria?

Chuvas, sóis, dois dias inteiros de nevoeiro impenetrável, assobios noturnos de vento, ventos distantes e próximos, noites de cristal azul, cristais de ozônio. O padrão de temperaturas horárias era sinuoso, mas não imprevisível. As visões tampouco o eram na realidade. Tão lentas passavam as montanhas diante deles que a alma achava passatempos construtivistas para substituí-las.

Levaram praticamente uma semana inteira para desenhar uma sequência de vertigens. Cruzaram com todo tipo de tropeiros e mantiveram as mais curiosas conversas com mendocinos e chilenos. Até com padres toparam, e europeus, e irmãos, tios e cunhados dos guias. Mas a solidão se recompunha rápido e a visão dos que se afastavam os enchia de inspiração.

Naqueles anos Rugendas começara uma prática inovadora, a do esboço a óleo. Isso constituía uma inovação, que a história da arte registrou como tal. Somente uns cinquenta anos depois os impressionistas o praticariam de maneira sistemática; na sua época, o jovem artista alemão não tinha nenhum antecessor além de alguns excêntricos ingleses, com Turner como modelo. Malvisto, era considerado um procedimento tosco. E assim era, em boa medida, mas tinha como horizonte uma transvaloração da pintura. No trabalho cotidiano, seu efeito era a inserção de peças únicas no fluxo constante de notas preparatórias para a gravura ou pintura a óleo em série. Krause não o seguia por esse caminho; se limitava a contemplar a produção frenética desses pequenos rascunhos exageradamente pastosos de cores ácidas destoantes.

Por fim, ficou evidente que estavam deixando aquelas paisagens para trás. Conseguiriam reconhecê-las se passassem de novo por elas?

(Não tinham planos de fazê-lo.) Traziam pastas lotadas de souvenirs. "Levo nas retinas...", dizia a frase conhecida. Por que nas retinas? Em todo o rosto também, nos braços, nos ombros, no cabelo, nos calcanhares... no sistema nervoso. À luz do glorioso entardecer de 20 de janeiro contemplavam absortos o conjunto de silêncios e de ar. Uma manada de mulas do tamanho de formigas se estampava sobre um caminho à beira do abismo, com movimentos de astros. Guiava-as uma inteligência humana e comercial, um saber de recém-nascido e de procriação racial. Tudo era humano; a mais selvagem natureza estava encharcada de sociabilidade, e os desenhos que tinham feito, na medida em que possuíam algum valor, eram sua documentação. O infinito orográfico era o laboratório de formas e cores. À sua frente, na face sonhadora do pintor viajante, se abria a Argentina.

Mas olhando para trás uma última vez, a grandeza dos Andes se erguia enigmática e selvagem, enigmática e selvagem demais. Depois de alguns dias, descendo sempre, um calor atordoante começou a envolvê-los. Enquanto sua alma sonhava em contemplar da atalaia de saída esse universo de rocha, o corpo de Rugendas estava banhado de suor. Um vento das alturas desprendia flocos de neve dos cumes e os jogava neles, como um serviçal piedoso que lhes trazia uma casquinha de sorvete de baunilha no meio do trabalho.

Essa paisagem vista por cima do ombro suscitava nele velhas dúvidas renovadas e proposições vitais. Perguntava-se se seria capaz de cuidar da própria vida, de ganhar o sustento com seu trabalho, quer dizer, com sua arte, se poderia fazer o que todos faziam... Até então o tinha feito, e muito bem, mas contava a seu favor com o impulso adquirido na Academia e no aprendizado em geral, e a energia da juventude. Sem falar da sorte. Tinha as mais sérias dúvidas de que fosse possível manter esse movimento. Com o que contava, no fim das contas? Com o seu ofício e quase nada mais. E se a pintura o abandonasse? Não lhe restaria nada. Não tinha casa, nem dinheiro no banco, nem capacidade para os negócios. Seu pai estava morto, ele vivia havia anos vagando por países estrangeiros... Isso o fazia especialmente sensível àquela lógica de que "se os outros podem...". De fato, todo mundo com quem cruzava, em cidades e aldeias, em selvas e montanhas, se virava para se manter respirando; mas estavam no seu contexto, sabiam em que se prender. Enquanto ele estava à mercê de um estranho acaso. Quem lhe assegurava que a arte fisionômica da natureza não sairia de moda, deixando-o isolado como um náufrago em meio a uma beleza inútil e hostil? No momento, sua juventude quase que já passara e continuava sem conhecer o amor. Empenhara-se para viver num mundo de fábula, de conto de fadas, e se nele não tinha aprendido nada de prático, ao menos aprendera que a história sempre continuava e o herói era esperado com novas alternativas, mais caprichosas e imprevisíveis que as anteriores. A pobreza e o desamparo eram apenas mais um episódio. Podia acabar pedindo esmola na porta de uma igreja sul-americana, por que não? Nenhum temor era exagerado, tratando-se dele.

Nessas reflexões estendia-se por páginas e páginas numa carta para a irmã Luise em Augsburg, a primeira das cartas que escreveu ao chegar em Mendoza.

Porque de repente estavam em Mendoza, uma bonita cidade arborizada e pequena, com as montanhas ao alcance da mão e uns céus azuis tão imutáveis que cansavam. Eram dias de grandes calores, com os mendocinos atordoados pelo mormaço, fazendo suas sestas até as seis da tarde. Por sorte a vegetação fornecia sombra por todas as partes; a folhagem enchia o ar de oxigênio, de modo que respirar, quando se podia, era muito animador.

Os viajantes, prevenidos pelas recomendações chilenas, hospedaram-se na casa da família Godoy de Villanueva, atenta e hospitaleira. Uma grande casa ao pé das árvores, com horta e jardins. Três gerações conviviam em boa harmonia no terreno e as crianças menores deslocavam-se em triciclos, o que foi devidamente registrado nos cadernos rugendianos; nunca tinha visto nada parecido antes. Foram seus primeiros desenhos argentinos e apontaram para uma direção veicular que logo ganharia um alcance inesperado.

Passaram um mês delicioso na cidade e seus arredores. Os mendocinos desdobravam-se para atender o ilustre visitante, o qual, sempre acompanhado por Krause, fez os passeios obrigatórios pelos montes, que na realidade deviam ser mais atraentes para quem viesse do lado oposto ao que eles tinham vindo, fez o roteiro das fazendas vizinhas e começou a mergulhar na vida argentina em geral, nesse ponto fronteiriço ainda tão parecida com a chilena, e já tão diferente. De fato, Mendoza era o ponto de partida das longas travessias em direção ao leste, em direção à sonhada Buenos Aires, e isso lhe dava um ar especial e único. Outra característica era que qualquer edificação, na cidade e no campo, brilhava de nova: e assim era, pois os sismos se encarregavam de renovar, a cada lustro, tudo o que o homem levantava. As reconstruções mantinham em alta a atividade econômica. A pecuária mendocina, palpitante na sua atividade telúrica, beneficiava-se da precocidade dos bovinos, auspiciada pelo latente perigo ctônico, e abastecia os mercados transandinos. Rugendas manifestou o desejo de retratar um terremoto, mas lhe disseram que o relógio planetário não o favorecia. Mesmo assim, no período todo que passou na região não perdeu as esperanças, que por delicadeza não manifestava, de presenciar um movimento. Nesse ponto ficou frustrado, e em outros também. A prosaica Mendoza continha promessas que, por um motivo ou outro, não se cumpriram, e que por fim acabaram ditando a partida.

A outra ilusão foram os *malones*. Na região eram verdadeiros tufões humanos, mas por natureza não obedeciam a nenhum oráculo ou calendário. Impossíveis de prever; poderia haver um em uma hora ou não haver nenhum até o ano seguinte (aproveitando que estavam em janeiro). Rugendas seria capaz de pagar para pintar um. Todos os dias daquele mês acordava com a secreta esperança de que tivesse chegado a hora. Como no caso do terremoto, teria sido de mau gosto expressar essas expectativas. A dissimulação o fez muito sensível aos detalhes. Não estava tão certo de que não haveria nenhum aviso prévio. Perguntou especificamente aos seus anfitriões, por supostos motivos profissionais, sobre os sinais anunciadores do sismo tectônico. Ao que parecia, eram muito imediatos, coisa de horas ou minutos: os cães cuspiam, as galinhas bicavam os próprios ovos, pululavam as formigas, as plantas floresciam etc. Mas não havia tempo para nada. O pintor estava certo de que o *malón* daria sinais de mudanças culturais igualmente instantâneas e gratuitas. Mas não teve oportunidade de comprovar.

Mesmo com todas as demoras a que se permitia, e com o hábito de esperar justificado e incentivado pela natureza, era preciso seguir adiante. Nesse caso, não apenas por imperativos práticos, mas porque o pintor, ao longo dos anos, tinha criado para si um mito pessoal da Argentina, e ao cabo de um mês nesse limiar, voltava mais forte do que nunca a urgência de penetrar nela.

Nos dias anteriores à partida, Emilio Godoy organizou uma excursão a uma grande fazenda de criação de gado dez léguas ao sul da cidade. Lá foram eles, e entre os pontos pitorescos que visitaram, estava um monte do qual se via um longo panorama de bosques e depressões em direção ao sul. Por esses corredores, disse-lhes o anfitrião, costumam aparecer os índios. Dali eles vinham, e tinha sido justamente ao persegui-los, em expedições punitivas depois de um *malón*, que os fazendeiros mendocinos tiveram um vislumbre de lugares assustadores: montanhas de gelo, lagos, rios, bosques impenetráveis. "O senhor deveria pintar isso..." A frase soava familiar. Não deixara de lhe ser repetida por décadas, aonde quer que fosse. Tinha aprendido a desconfiar desses conselhos. Quem saberia o que devia pintar? A essa altura da carreira, e com o grande vazio dos pampas ao alcance da mão, sentia que o mais autêntico da sua arte ia na direção contrária. Mas, apesar disso, as descrições de Godoy o deixaram sonhador. Os reinos de gelo dos índios apareciam na sua imaginação mais belos e misteriosos do que qualquer quadro que pudesse pintar.

O que conseguia pintar ganhava outro aspecto, bastante inesperado. Os procedimentos para contratar um guia puseram-no em contato com um objeto fascinante em último grau: a grande carreta das travessias interpampeanas.

Ela era um artefato de tamanho monstruoso, como se feito de propósito para que se acreditasse que nenhuma força natural poderia movê-la. Ao ver a primeira, ficou absorto por um longo tempo. Na sua desmesura viu por fim a encarnação da magia das grandes planícies, a mecânica do plano enfim posta em funcionamento. Voltou ao pátio de cargas no dia seguinte, e no seguinte, provido de papéis e grafites. Era fácil e ao mesmo tempo difícil desenhá-las. Pôde vê-las começando suas longas marchas. Sua velocidade de lagarta, somente mensurável em unidades diuturnas, ou hebdomadárias, lançou-o numa microscopia de figuras, o que não era tão paradoxal em alguém que se destacara fazendo aquarelas de beija-flores, posto que o movimento também, por seus extremos mínimos, toca a dissolução. Deixou isso para mais adiante, uma vez que teria oportunidades de sobra para vê-las em ação durante a viagem, e se concentrou nas desengatadas.

Como tinham apenas duas rodas (era sua peculiaridade), quando estavam sem carga se inclinavam para trás, e suas varas apontavam na direção do céu num ângulo de quarenta e cinco graus; a ponta das varas parecia se perder nas nuvens; seu comprimento pode ser calculado pelo fato de servirem para engatar até dez juntas de bois. Suas sólidas tábuas estavam reforçadas para receber cargas imensas; casas inteiras, com seus móveis e habitantes, não seriam excessivas. As duas rodas eram como as rodas-gigantes das feiras, todas em alfarroba, os raios grossos como vigas de teto com cubos de bronze no centro carregados de litros de graxa. Seria preciso desenhar um homenzinho ao seu lado para dar uma ideia cabal do tamanho e, ao procurar modelos para essas figuras, Rugendas, depois de descartar o abundante pessoal da manutenção, concentrou-se nos motoristas, formidáveis personagens, à altura da sua tarefa. Eram a aristocracia dos carreteiros: nas mãos deles ficava o domínio desse hiperveículo (sem contar a carga, que poderia ser a totalidade do patrimônio de um magnata), e ficava durante um tempo muito prolongado. A linha reta Mendoza-Buenos Aires, percorrida à razão de uns duzentos metros por dia, sugeria lapsos de vidas inteiras. Nos olhos e nos modos dos carreteiros, homens transgeracionais, tinham ficado registradas essas paciências sublimes. Passando para questões mais práticas, seria possível pensar que os elementos no jogo das variáveis eram o peso (a carga a ser transportada) e a velocidade: com um peso mínimo se alcançava a velocidade máxima, e vice-versa. Evidentemente os transportadores interpampeanos, à luz do plano, tinham feito a opção do peso.

E de repente eram vistas partindo... Uma semana depois, seguiam a um arremesso de pedra, mas afundando inexoravelmente no horizonte. Rugendas sentiu, e comunicou-a ao amigo, uma urgência quase infantil de partir também, no rastro antecipado das carretas. Ocorreu-lhe que seria como viajar no tempo: no trajeto, feito ao passo rápido dos cavalos, alcançariam carretas que tinham partido em outras eras geológicas, talvez antes do inconcebível começo do universo (exagerava), e inclusive as ultrapassariam, indo em direção ao verdadeiramente desconhecido.

Sobre esse rastro partiram. Sobre essa linha. Era uma reta que terminava em Buenos Aires, mas o que importava para Rugendas estava na linha, não no extremo. No centro impossível. Onde apareceria finalmente alguma coisa que desafiaria o seu lápis, que o obrigaria a criar um novo procedimento.

A despedida dos Godoy foi muito afetuosa. Voltará um dia?, perguntavam-lhe. Seu itinerário não previa isso: de Buenos Aires partiria para Tucumán, daí subiria até a Bolívia e o Peru, numa travessia de anos, até voltar para a Europa... Mas talvez algum dia refizesse todos os seus passos na América (era uma ideia poética que lhe ocorria nesse momento), voltaria para ver tudo o que agora via, para pronunciar todas as palavras que agora pronunciava, e para encontrar os rostos sorridentes que estava vendo, nem mais jovens nem mais velhos... Sua imaginação de artista o fazia ver essa segunda viagem como a outra asa de uma grande borboleta espelhada.

Levaram um velho guia e um garoto como cozinheiro. E cinco cavalos e duas eguinhas: finalmente tinham conseguido se livrar das mulas irritantes. O clima continuou quente e foi se tornando mais seco. Numa semana de avanço pausado, deixaram para trás as depressões andinas e, com elas, as árvores, os rios, os pássaros. Uma boa armadilha para Orfeus desobedientes: apagar tudo o que houvesse antes. Já não valia a pena olhar para trás. Na planície, o espaço tornava-se pequeno e íntimo, quase mental. Houve uma abstinência de pintura enquanto o procedimento se reacomodava. Substituíram-na por alguns cálculos quase abstratos de trajetória. Algumas vezes ultrapassavam uma carreta e, psicologicamente, era como se pulassem meses.

Adaptaram-se à nova rotina. Havia pequenos acidentes que iam marcando o rumo das imensidões. Começaram a caçar sistematicamente. O velho guia entretinha-os contando causos à noite. O homem era um tesouro de informação da história regional. Por algum motivo, certamente por não estarem pintando, Rugendas e Krause encontraram, nas demoradas conversas de cavalo a cavalo, uma relação entre pintura e história. Muitas vezes antes já haviam conversado sobre o tema. Agora se sentiam prestes a tocar nas razões que estavam soltas, juntando-as.

Um ponto em que tinham concordado era a vantagem da história em saber como eram feitas as coisas. Uma cena, natural ou cultural, por mais detalhada que fosse, não dizia como se havia chegado a ela, qual era a ordem das incidências, nem o encadeamento causal que levara àquela configuração. E, justamente, a abundância de relatos em que se vivia ficava explicada pela necessidade de o ser humano saber como tinham sido feitas as coisas. Pois bem, a partir desse ponto, Rugendas ia um pouco além, a fim de chegar a uma conclusão bastante paradoxal. A título de hipótese, propunha que o silêncio dos relatos não implicava perda nenhuma, na medida em que a geração atual, ou uma futura, poderia voltar a experimentar esses mesmos acontecimentos do passado sem a necessidade de que os contassem por mera combinatória ou império dos fatos, ainda que, tanto num caso quanto no outro, a ação fosse filha de uma vontade deliberada. E até era possível que a repetição fosse mais cabal se não houvesse relato. No lugar do relato, e desempenhando com vantagem sua função, o que devia ser transmitido era o conjunto de "ferramentas" com que se pudesse reinventar, com a espontânea inocência da ação, o que tivesse acontecido no passado. O mais valioso que fizeram os homens, o que valia a pena que voltasse a acontecer. E a chave dessa ferramenta era o estilo. Segundo essa teoria, então, a arte era mais útil do que o discurso.

Um pássaro deslizava no céu vazio. Parada no horizonte, como um astro do meio-dia, uma carreta. Como fazer de novo uma planície semelhante? Mas a viagem certamente voltaria a ser tentada, cedo ou tarde. Isso os induzia a ser muito cautelosos e, ao mesmo tempo, muito audazes; primeiro, para não cometer algum erro que tornasse impossível a repetição; segundo, para que valesse a pena, como uma aventura.

Era um delicado equilíbrio, equivalente ao procedimento artístico que praticavam. Rugendas voltava a lamentar não ter visto os índios em ação. Quem sabe devesse ter esperado mais uns dias... sentia uma vaga nostalgia inexplicável pelo que não tinha acontecido, pelos ensinamentos que poderia ter deixado. Isso queria dizer que os índios faziam parte do procedimento? A repetição dos *malones* era história concentrada.

O artista atrasava o começo da sua tarefa, até que um dia descobriu que tinha mais motivos do que ele mesmo acreditava para fazê-lo. Uma observação casual feita ao redor da fogueira levou o velho guia a lhe fazer um esclarecimento: não, não estavam nos aclamados pampas argentinos, ainda que de algum modo fosse muito parecido. O verdadeiro pampa começava passando San Luis. O homem acreditava se tratar de um mal-entendido de palavra. Algo assim devia haver, supôs o alemão, mas a coisa em si também estava envolvida; tinha que estar. Perguntou-lhe com delicadeza, explorando os próprios recursos linguísticos. Por acaso o "pampa" era mais plano que essas planícies que estavam atravessando? Achava que não, porque não podia haver nada mais plano que a horizontal. E, no entanto, o velho lhe garantiu, com um sorriso satisfeito, tão raro nesses seres austeros. Comentou isso longamente com Krause, mais tarde, fumando seus charutos sob as estrelas. Afinal, não tinham motivos sérios para duvidar. Se havia pampas (e tampouco isso era motivo real de incerteza), estavam um pouco mais adiante. Depois de três semanas absorvendo uma vasta planície sem relevos, se dar conta de que o plano era algo mais radical constituía um desafio à imaginação. Pelo que puderam entender das desdenhosas frases do paisano, ele achava bem "montanhoso" esse trecho. Quanto a eles, ficaram com a impressão de uma mesa bem polida, de um lago tranquilo, de um lençol de terra bem estendido. Mas fazendo um pequeno esforço mental, agora que estavam avisados, viam que podia não ser assim. Que estranho, e que interessante. Nem carece dizer que a chegada a San Luis, que o perito considerava iminente, tornou-se objeto de impaciência. Durante os dois dias seguintes à revelação fizeram marchas parecidas. Como numa prestidigitação, começaram a ver montes por toda parte; eram as serras da Marionete e da Água Hedionda. No terceiro dia penetraram em campos ressonantes de vazio. O ar sinistro da paragem chamou a atenção dos alemães e, para sua surpresa, também a dos *gauchos*. O velho e o jovem falavam em sussurros, e o primeiro se abaixou várias vezes para apalpar o solo. Começaram a notar que o mato escasseava, até o mais casual, e os cardos não tinham folha: pareciam corais. Era evidente que a região sofria uma seca de duração desmedida. A terra desagregava-se precipitadamente, apesar de ainda não parecer terem se formado colchões de poeira. Não puderam ter certeza porque tinha cessado todo e qualquer vento. Na quietude mortal do ar, ouviam os passos dos cavalos, suas palavras e até sua respiração, com ecos ameaçadores. De vez em quando viam que o velho guia escutava em silêncio, com uma atenção angustiada. Contagiou-os, e eles também escutavam. Não ouviam nada, a não ser um tênue indício de um zumbido que devia ser psíquico. Mas o homem suspeitava de alguma coisa; preferiram não interrogá-lo, vagamente atemorizados.

Por um dia e meio deslizaram naquele vazio tenebroso. Não havia pássaros no ar, nem preás, nem emas, nem lebres, nem formigas na terra. A crosta desnuda do planeta parecia ser feita de um âmbar seco. Por fim, ao chegarem à margem de um rio onde se abasteceram de água, o guia teve a confirmação das suas especulações e lhes deu a solução do enigma. Este magnificara-se nos outeiros do rio: não apenas estavam desprovidos da menor célula viva de vegetação, mas as muitas árvores, na sua grande maioria chorões, estavam desprovidas de qualquer folha, como se um inverno repentino as tivesse depilado de brincadeira. Eram um espetáculo impressionante, até onde a vista se perdia: esqueletos lívidos, que nem sequer tremiam. E não era que as folhas tivessem caído, porque o solo era quartzo puro.

Gafanhotos. A praga bíblica passara por ali. Essa era a chave do enigma, que o guia revelou por fim. Se tinha demorado a fazê-lo, foi por escrúpulos de veracidade. Reconhecera os sinais só por ter ouvido falar, já que nunca antes os tinha visto com os próprios olhos. Também tinham lhe contado como se via a revoada em ação, mas disso preferia não falar, porque soava fantasioso; ainda que, à vista dos resultados, nada fosse exagero. Krause, aludindo às queixas do amigo por ter perdido o encontro com os índios, perguntou se não lamentava ter chegado tarde também dessa vez. Ficava imaginando. Um prado verde, envolvido de repente por uma nuvem zombeteira, e um instante depois, nada. Isso podia ser objeto da pintura? Não. Talvez de uma pintura em ação.

Seguiram adiante, no seu rumo, sem perder tempo. Não tinha sentido perguntar pela direção da revoada, porque a área afetada era muito grande. Tudo o que deviam fazer era chegar a San Luis e desfrutar enquanto estivessem ali, se pudessem. Tudo era experiência, ainda que por minutos a perdessem. A vibração que ficara na atmosfera tinha uma ressonância apocalíptica.

Porém, inconvenientes muito práticos se apresentaram, tornando difícil desfrutar. Nessa mesma tarde, os cavalos, que estavam nos dias de jejum forçado, entraram em crise. Tornaram-se intratáveis e foi necessário parar. Como se não bastasse, a temperatura continuara subindo e já devia estar nos cinquenta graus. Nem um único átomo do ar se mexia. A pressão tinha baixado radicalmente. Um pesado teto de nuvens cinzentas pairava sobre suas cabeças, mas sem dar o alívio de uma diminuição do resplendor, que continuava cegando-os. O que fazer? O pequeno cozinheiro adolescente estava assustado, se afastava dos cavalos como se fossem mordê-lo. O velho não levantava os olhos, envergonhado pelo fracasso da sua função de guia. Tinha certa justificativa porque nunca atravessara antes uma área devorada por gafanhotos. Os alemães deliberaram em voz baixa. Estavam num oceano selenita, com o horizonte eriçado de montes. Krause sugeriu moer biscoitos para fazer uma papinha com água e leite, dar com paciência aos cavalos, esperar umas horas até que se tranquilizassem e retomar a marcha com o frescor da tardinha. Para Rugendas o plano pareceu tão absurdo que nem sequer o discutiu. Propôs alguma coisa um pouco mais sensata, como ir investigar, num galope, o outro lado dos montes. Acostumados a medir a distância nos quadros, a distância desses montinhos revelava-se ilusória, praticamente estavam entre eles. Nesse caso, sua vegetação não deveria ter saído incólume do banquete. Consultaram o guia, mas dele não arrancaram palavra. Bem se podia supor, contudo, que as encostas tivessem funcionado como tela antigafanhotos e que, dando a volta, eles encontrariam uma pradaria com seus trevos bem contados. O pintor viajante já estava decidindo: ele iria para as elevações do sul, seu amigo para as do norte. Krause protestou. Um galope de emergência, com os cavalos no estado em que se encontravam, lhe parecia imprudente. Sem contar que estava se formando uma tempestade. Negava-se terminantemente. Rugendas, de sua parte, não tinha vontade de continuar discutindo, de modo que partiu sozinho, anunciando que estaria de volta em duas horas. Lançado ao galope, o cavalo respondeu com uma liberação de energia nervosa; igual ao ginete, estava tão suado como se tivesse saído do mar. A umidade evaporava antes de tocar o chão; iam deixando um rastro de vapor salgado. Os cones cinza dos montes, em que tinha o olhar fixo, iam se deslocando em relação à linha da cavalgada; sem crescer perceptivelmente, se multiplicavam e entreabriam; algum passou às suas costas com um giro sub-reptício. Já havia entrado na formação (por que a chamavam "da Marionete"?), e o chão continuava nu e não dava sinais de reverdecer mais ao longe, nem em nenhuma parte. O calor e a imobilidade do ar tinham se acentuado, como se isso fosse possível. Freou e olhou ao redor. Estava num circo máximo de argilas e calcários arrepolhados. Sentia o cavalo muito nervoso, e ele mesmo tinha um peso no peito, e sua percepção estava loucamente aguçada. O ar havia ficado com uma cor cinza de chumbo. Nunca vira esse tipo de luz. Era uma escuridão através da qual se via. As nuvens baixaram um pouco mais, até que pôde ouvir o rumor íntimo do trovão. "Pelo menos vai ficar mais fresco", disse a si mesmo, e esta frase trivial foi a última que chegou a formular inteira e coerente, o último pensamento da juventude e de toda uma etapa da sua vida.

Porque o que aconteceu na sequência foi absorvido diretamente pelo sistema nervoso. O que equivale a dizer que durou muito pouco, e tudo foi ação, encadeada e selvagem. A tempestade se manifestou de repente com um enorme relâmpago que preencheu todo o céu, traçando uma ziguezagueante ferradura.

Correu tão baixo que a cabeça levantada de Rugendas, congelada num gesto de estupor idiota, se iluminou de branco. Pareceu-lhe sentir o calor sinistro na pele, e as pupilas se contraíram até quase desaparecer. O baque impossível do trovão o envolveu em milhões de ondas. O cavalo sob suas pernas começou a girar. Não terminara de fazê-lo quando um raio caiu na sua cabeça. Como uma estátua de níquel, homem e besta arderam de eletricidade. Rugendas se viu brilhar, espectador de si mesmo por um instante de horror, que lamentavelmente se repetiria. A crina do cavalo estava toda eriçada, como a nadadeira de um peixe-espada. A partir desse momento, tornou-se uma visão estranha para si mesmo, como ocorre em catástrofes pessoais, quando a gente se pergunta: por que teve que acontecer logo comigo? Foi horrível, mas muito fugaz o que sentiu quando o sangue se eletrizou. Evidentemente descarregava tão rápido quanto carregava. Mesmo assim, não podia ser bom para a saúde.

O cavalo tinha ficado de joelhos. O ginete o esporeava como um louco, levantando as pernas até quase ficarem na vertical e fechando-as com movimento e estalo de tesoura. O animal também descarregava o fluido: ao redor dele tinha se acendido uma espécie de bandeja de ouro fosfórico, de bordas ondulantes. Mal terminado o processo, que durou segundos, já tinha se erguido e tentava caminhar. A bateria completa de trovões explodia no alto. No que parecia uma escuridão de meia-noite se entrecruzavam relâmpagos grossos e finos. Pelos montes rodavam centelhas brancas do tamanho de casas, e os raios faziam as vezes de tacos de um bilhar meteórico. O cavalo girava. Anestesiado ao extremo, Rugendas puxava as rédeas ao acaso, até que escaparam das suas mãos. A planície tornara-se imensa, sem saída porque tudo era saída, e tão sufocada de atividade elétrica que era difícil se orientar. O chão sacudia com o repique dos raios. O cavalo começou a andar com uma prudência sobrenatural, levantando bem os cascos, em lentas cabriolas.

O segundo raio o fulminou menos de quinze segundos depois do primeiro. Foi muito mais forte e teve efeitos mais devastadores. Voaram uns vinte metros, ardentes e crepitando como uma fogueira fria. Certamente pelo efeito da decomposição atômica que corpos e elementos estavam sofrendo na ocasião, a queda não foi fatal: foi amortecida e com rebotes. Não apenas isso, mas a magnetização do pelo do animal funcionara como um ímã, e Rugendas ficou montado durante toda a pirueta; porém, uma vez no chão, a atração afrouxou e o homem se viu deitado na terra seca, olhando para o céu. O emaranhado de relâmpagos nas nuvens fazia e desfazia figuras de pesadelo. Nelas, por uma fração de segundo, pensou ter visto uma cara horrível. A Marionete! O som ambiente ensurdecia: ruído sobre ruído, trovão sobre trovão. A circunstância era muito mais que anormal. O cavalo se retorcia no chão como um caranguejo e milhares de células de fogo explodiam ao seu redor, formando uma espécie de auréola generalizada que se deslocava com ele e já não parecia afetá-lo. Gritavam o homem e seu cavalo? Provavelmente estavam num espasmo de mudez; mas mesmo que tivessem gritado, nada teria sido ouvido. O ginete caído remexia no chão com as mãos, procurando um ponto de apoio para sentar. Mas havia estática demais para poder tocar em alguma coisa. O cavalo estava levantando, e um alívio instintivo indicou a Rugendas que isso era conveniente; devia renunciar por um momento ao consolo da companhia para se salvar de um terceiro raio.

De fato, o cavalo levantava, eriçado e monumental, escondendo metade da malha de relâmpagos, e suas patas de girafa quebravam em passos indóceis, a cabeça se voltava atenta ao chamado de loucura... e ia embora...

Porém, Rugendas ia com ele! Não podia nem queria entender, era monstruoso demais. Sentia-se arrastar, quase levitar (efeito do prolongamento elétrico), como um satélite de um astro perigoso. A marcha tornava-se mais rápida e ele pendurado atrás, quicando, sem compreender nada...

O que não sabia era que um pé tinha ficado preso no estribo, acidente que mesmo frequente (é um clássico da equitação de todos os tempos) deixa de acontecer de vez em quando. A geração de eletricidade cessou tão de repente quanto tinha começado, o que foi uma pena porque um raio certeiro que detivesse o animal de novo teria poupado um mar de inconvenientes ao pintor. Mas a corrente foi reabsorvida pelas nuvens, o vento começou a soprar, choveu...

O cavalo galopou por uma distância indefinida; nunca se soube quanto, e, na realidade, não tinha tanta importância. Muito ou pouco, o desastre estava feito. Foi no amanhecer do outro dia que Krause e o velho guia os encontraram. O cavalo encontrara uns trevos e pastava sonâmbulo, arrastando um penduricalho sanguinolento preso no estribo. Tinham passado a noite procurando por ele, e o pobre Krause, no ápice da angústia, já pensava que estaria morto. Encontrá-lo foi um meio alívio: estava ali, enfim, mas deitado de boca no chão, inerte; apressaram a corrida e no transcurso viram-no se mexer, sem deixar a postura de beijo na terra; a escassa esperança que isto lhes infundia foi neutralizada quando perceberam que não se mexia, senão quando puxado pelos distraídos passinhos do cavalo pastando. Apearam, desprenderam-no do estribo e viraram o corpo... O horror os deixou mudos. O rosto de Rugendas era uma massa entumescida e ensanguentada, a testa estava com uma fratura exposta e havia pedaços de pele sobre os olhos. O nariz tinha perdido sua forma reconhecível, o aquilino augsburguês, e os lábios, cortados e retraídos, deixavam ver todos os dentes e sisos milagrosamente intactos. A primeira coisa era ver se respirava. Sim. Esse detalhe deu um tom de urgência ao que se seguiu. Colocaram-no sobre o cavalo e o levaram. O guia, que tinha recuperado seu posto, indicou uma rota onde lembrava que havia uns ranchos. Encontraram-nos no meio da manhã. O presentinho que traziam a esses pobres camponeses perdidos era o mais adequado para provocar sua perplexidade. Ao menos conseguiram fazer as primeiras medidas e tomar pé da situação. Lavaram o rosto dele, trataram de reconstituí-lo manipulando os pedaços com a ponta dos dedos, puseram emplastros de hamamélis para cicatrizar e se certificaram de que não havia ossos fraturados. A roupa estava rasgada, mas a não ser por alguns raspões no peito, cotovelo e joelhos, e cortes superficiais, o corpo estava intacto; todo o ferimento havia se concentrado na cabeça, como se tivesse rodopiado sobre ela. A vingança da Marionete? Quem sabe. O corpo é uma coisa estranha, e quando o afeta um acidente em que agem forças não humanas, nunca se sabe qual será o resultado.

Recuperou os sentidos naquela mesma tarde, cedo demais para que a consciência representasse alguma vantagem. Acordou com dores que nunca experimentara antes e contra as quais não tinha defesa. Passou vinte e quatro horas num grito. Todos os remédios tentados foram inúteis; é verdade que se podia tentar pouca coisa para além de compressas e boa vontade. Krause retorcia as mãos; ele também não pôde dormir nem se alimentar. Tinham mandado buscar um médico em San Luis, que chegou na noite seguinte, a todo galope debaixo da chuvarada. O dia seguinte foi empregado no transporte do ferido à capital provincial, num carro enviado pelo senhor governador. O diagnóstico do médico era cauteloso. Segundo seu parecer, a dor aguda era provocada pela emergência de alguma terminação nervosa, que cedo ou tarde se encapsularia. Então seu paciente recuperaria a fala e poderia se comunicar, o que tornaria a situação menos angustiante. As feridas seriam costuradas no hospital e o tamanho das cicatrizes dependeria da predisposição dos tecidos. Do resto, só Deus dispunha. Trouxe morfina e administrou uma bondosa quantidade, de forma que ele dormiu no carro e foi poupado das incertezas da travessia noturna pelos bairros. Acordou no hospital, justamente quando o estavam costurando. Foi preciso dar dose dupla para que se acalmasse.

Passou uma semana. Extraíram os pontos e o processo de cicatrização foi rápido. Puderam tirar os curativos, e ele começou a ingerir comida sólida. Krause estava permanentemente ao seu lado. O hospital de San Luis era um rancho nos arredores da cidade, habitado por meia dúzia de monstros, metade homens metade animais, produto de acidentes genéticos acumulados. Eles não tinham cura. Viviam ali. Para Rugendas foi uma quinzena inesquecível. As percepções chegavam à carne rosada e viva da sua cabeça para ficar. Nem bem conseguiu se pôr de pé e sair para dar uma caminhada no braço de Krause e já não quis entrar novamente. O governador, que se mostrou solícito com o grande artista, hospedou-o na sua casa. Dois dias depois já tentava montar no cavalo e escrevia cartas (a primeira foi para a irmã em Augsburg, dando-lhe uma versão quase idílica dos seus problemas; em contrapartida, para suas amizades no Chile, pintava um panorama tenebroso, quase exagerado). Decidiram ir embora sem demora. Mas não no rumo em que estavam: a imensidão ignota que os separava de Buenos Aires era um desafio que foi descartado no momento. Voltariam a Santiago, o lugar mais próximo onde poderia receber atenção médica adequada.

Porque a recuperação, mesmo sendo milagrosa, estava longe de estar completa. Erguera-se com vigor de titã do buraco profundo da morte; mas a ascensão deixou marcas. Sem falar ainda do rosto, digamos que o nervo afetado, cuja emergência foi causa do padecimento insuportável dos primeiros dias, tinha se reencapsulado e, apesar de ter passado a fase aguda, a terminação ficou presa, algo ao acaso, em algum centro do lóbulo frontal e dali ministrava umas enxaquecas nunca vistas. Apareciam de repente, várias vezes ao dia; tudo se achatava e começava a se dobrar feito um biombo. A sensação crescia e crescia, dominava-o, ele começava a gritar, chegava a cair, escutava chiados muito agudos. Nunca tinha imaginado que poderia haver tanta dor no seu sistema; era uma revelação do que podia o próprio corpo. Precisava se empanturrar de morfina e depois do acesso ficava frágil, com as mãos e os pés muito distantes, montado numa perna de pau. Pouco a pouco começou a reconstruir o acidente e pôde contá-lo a Krause. O cavalo tinha sobrevivido e continuava prestando serviços; de fato, era o que montava habitualmente. Rebatizou-o de "Raio". Quando estava no seu dorso acreditava sentir o plasma universal em pleno fluxo. Longe de guardar rancor, passou a gostar dele. Eles eram dois sobreviventes da eletricidade. Sob o efeito do analgésico voltou a desenhar; não precisou aprender de novo, porque continuava fazendo-o tão bem quanto antes. A indiferença da arte manifestava-se mais uma vez; sua vida podia estar partida em dois, a pintura continuava sendo a "ponte dos sonhos". Não era como seu antepassado, que tivera de educar a mão esquerda; pena não ter sido! A que simetria bilateral ele poderia recorrer, se o nervo o fincava justo no centro do seu ser?

Não teria sobrevivido sem a droga. Levou um tempo até metabolizá-la. Contava para Krause as visões que ela lhe tinha causado nos primeiros dias. Tinha visto, como agora ele se via, demônios animais dormindo e comendo e fazendo suas necessidades (e até conversando com grunhidos e balidos!) ao seu redor... O amigo o tirou do equívoco: essa parte era real. Os monstros eram uns pobres desgraçados internados pela vida inteira no hospital de San Luis. Rugendas ficou atônito, entre duas enxaquecas. Incrível coincidência! Isso o fez pensar que talvez todos os pesadelos, mesmo os mais absurdos, se conectavam com a realidade em algum lugar. De outra natureza, apesar de relacionada, era uma lembrança que também podia contar. Quando tiraram os pontos com que costuraram o seu rosto, sentiu-os deslizarem com toda clareza. E no seu estado de semivigília alterada sentiu como se tivessem sido retirados todos os fios que moviam as marionetes dos seus sentimentos, ou dos gestos que os expressavam, o que dava no mesmo. Krause, desviando os olhos, não fez nenhum comentário e se apressou para mudar de assunto. O que não era tão fácil: mudar de assunto é uma das artes mais difíceis de dominar, chave de quase todas as outras. E a mudança, por sua vez, era uma chave nesse caso.

Porque o rosto tinha sofrido danos graves. Uma grande cicatriz no meio da testa descia até um nariz de leitão, com as duas narinas em diferentes alturas, e uma rede de raios vermelhos se desdobrava até as orelhas. A boca se contraíra num botão de rosa cheio de rugas e dobras. O queixo tinha se deslocado para a direita, com uma única covinha, como uma colher de sopa. Grande parte desse descalabro parecia definitivo. Krause estremecia pensando quão frágil é um rosto. Uma batida e já estava quebrado para sempre, como um vaso de porcelana. Um caráter era mais durável. Uma disposição psicológica parecia eterna em comparação.

Mesmo assim, poderia se acostumar a falar com essa máscara, e a esperar, e até a prever suas respostas. O ruim era que os músculos, como se o próprio Rugendas o tivesse intuído na fantasia dos fios, não respondiam mais aos seus comandos; cada um se mexia como queria. E se mexiam muito mais que o normal. Nisso devia intervir o estrago no sistema nervoso. Por sorte, e talvez por milagre, a deterioração nervosa se limitava ao rosto; mas o contraste com o torso e os membros quietos tornava tudo mais visível. Havia uma escalada: um tremor, um vaivém, se espalhava de repente e, em segundos, todo o rosto estava num baile incontrolável de San Vito. Além disso, mudava de cor, ou melhor, de cores, resplandecia, se enchia de violetas e rosas e ocres, mudando o tempo todo como um caleidoscópio.

De semelhante borracha mágica, o mundo devia ser visto diferente, pensava Krause. Não eram as lembranças próximas que se tingiam de alucinação, mas o mundo cotidiano. Rugendas não falava muito do assunto, ainda devia estar assimilando os sintomas. E certamente não tinha tempo de levar um raciocínio até a conclusão, por causa dos ataques, que ocorriam, em média, a cada três horas. Quando a dor o arrebatava, era um ser possuído por um vento interior. Não precisava dar muitas explicações sobre esse ponto, porque o que acontecia era muito visível, mas ainda assim dizia que em pleno ataque se sentia amorfo.

Curiosa coincidência de palavras: amorfo, morfina. Esta continuava se acumulando no seu cérebro. Graças a ela voltou a pintar e regulou os horários nas marcações do alívio e do desenho. Assim recuperou alguma normalidade. Não precisou recuperar a técnica, graças ao procedimento fisionômico. A paisagem de San Luis, com suas encantadoras intimidades, foi o objeto ideal para seus exercícios de convalescente. Nas suas dezenove fases vegetais, a natureza se adaptava à sua percepção, com véus edênicos; a paisagem morfina.

Como um artista sempre está aprendendo alguma coisa enquanto faz sua arte, mesmo nas circunstâncias mais ingratas, Rugendas descobriu nesse momento uma característica do procedimento que até então lhe passara despercebida. E era que o procedimento fisionômico operava por repetições: os fragmentos se reproduziam tal qual, mudando apenas seu lugar no quadro. Se não era fácil de notar, nem mesmo por quem o fazia, era porque o tamanho do fragmento variava imensamente, do ponto ao plano panorâmico (podia ir muito além do quadro). E, além disso, no seu trajeto, podia ser afetado pela perspectiva. Tão pequeno e tão grande como o dragão.

Do mesmo jeito que tantas descobertas, esta se apresentava na sua face de máxima inutilidade. Mas quem sabe um dia saber disso serviria para alguma coisa.

Afinal de contas, a arte era seu segredo. Ele conquistara o segredo, ainda que a um preço exorbitante. No pagamento tudo se somava, por que não se somariam o acidente e a transformação subsequente? No jogo das repetições, na combinatória, até ele podia se dissimular e funcionar oculto, como outro avatar do artista. As repetições: com outro nome, a história da arte.

Por que essa ansiedade em ser o melhor? Por que a única legitimação que lhe ocorria era a qualidade? De fato, não podia sequer começar a pensar no seu trabalho se não fosse por causa da qualidade. Não seria um erro? Não seria uma fantasia malsã? Por que não o fazer como todo mundo (como Krause, sem ir mais longe), quer dizer, o melhor possível e pondo a ênfase em outros elementos? Essa modéstia podia ter efeitos consideráveis, o primeiro seria permitir ser também artista de outras artes, se quisesse. De todas. Podia chegar a torná-lo um artista da vida. A ambição absolutista provinha de Humboldt, que idealizara o procedimento como uma máquina geral do saber. Desarmando esse autômato pedante, restava a multiplicidade dos estilos, e estes, tomados um a um, eram ação.

Em dez dias estavam de volta a Mendoza (eram cinquenta léguas): iam nos mesmos cavalos, pelo mesmo caminho, cruzavam as mesmas carretas, acompanhava-os o mesmo guia, o mesmo cozinheiro. A única coisa que tinha mudado era o rosto de Rugendas. E a direção. Atrasaram um pouco por causa das chuvas, do vento, da semelhança das coisas. A família Godoy, avisada havia semanas sobre o atroz acontecimento, renovou sua hospitalidade, com o detalhe acrescentado pela delicadeza de um quarto próprio para o pintor, onde poderia dispor de mais silêncio e tranquilidade, sem perder os benefícios da atenção familiar. Esse quarto ficava acima do telhado e tinha sido um mirante que se tornara totalmente inútil com o crescimento das árvores que rodeavam a casa. Podiam oferecê-lo agora porque o calor estava diminuindo (eram meados de março); em pleno verão, era um forno de cerâmica.

O isolamento lhe caiu bem; já estava se virando melhor sozinho, e ficava aliviado de poder prescindir de Krause por dias inteiros — não porque a presença do fiel amigo, modelo de camaradagem, o incomodasse, mas porque queria deixá-lo em paz, para que pudesse gozar de Mendoza e da sua sociedade depois dos seus zelos de enfermeiro. Horrorizava-o a mera ideia de ser um fardo. Trancado no seu pombal, recuperava um pouco da autoestima, na medida do possível.

Foram dias de concentração solitária e de reflexão. Precisava assimilar o que acontecera e tentar encontrar um caminho aceitável para o futuro. O cenário desses debates internos foi a correspondência, à qual passou a se dedicar a fundo. Com sua letra pequenina e encolhida, enchia páginas e mais páginas. Durante toda a vida foi um prolífico autor epistolar. Era claro, organizado, explícito, detalhista. Nada lhe escapava. Como as cartas foram conservadas, nelas seus biógrafos tiveram material de sobra para se basear e, ainda que nenhum tenha tentado, poderiam perfeitamente reconstruir sua vida de viajante dia a dia, quase hora a hora, sem perder nenhum movimento do seu espírito, nenhuma reação, nenhum escrúpulo. O tesouro epistolar de Rugendas revela uma vida sem segredos e, não obstante, misteriosa.

O enfurecimento desses primeiros dias mendocinos tinha uma dupla razão de ser. Estava atrasado, pois de San Luis despachara apenas umas missivas informativas, entrecortadas e com caligrafia trêmula, e, além disso, contendo promessas de ampliação que tinha chegado o momento de cumprir. Mas também havia a necessidade íntima de esclarecer a si mesmo, diante dessa circunstância extrema, e não dispunha de outro modo de fazê-lo senão o do muito exercitado nas cartas. Daí que existam tantos dados, não somente dos fatos, mas das suas repercussões íntimas, a respeito de tudo que rodeou o episódio. A documentação era o ofício de Rugendas, o pintor, e, a bordo da excelência alcançada, se tornara uma segunda natureza para Rugendas, o homem.

A primeira e central de suas correspondentes era a irmã Luise, lá na sua nativa Augsburg. Com ela era de uma sinceridade comovente. Nunca tinha escondido nada dela e não via por que fazê-lo agora. Mas nesse ínterim descobriu que Luise não cobria todo o espectro da documentação possível. Ou, melhor dizendo: mesmo que o cobrisse (porque para ela podia dizer tudo), ficavam coisas de fora. Essa era uma dessas circunstâncias em que o todo não basta. Talvez porque haja outros "todos", ou antes porque o "todo", que é quem fala e seu pequeno grande mundo, tem uma rotação como a dos astros que, combinada com as translações, fazem com que certos rostos fiquem sempre escondidos. Para lhe dar um nome moderno, que não figura nas cartas, digamos que era um problema de "elocução". Como se o tivesse previsto desde sempre, Rugendas tinha tentado multiplicar convenientemente o número dos seus correspondentes, dispersando-os pelo mundo. De modo que retomava o trabalho de escrever sob outros preâmbulos; entre seus interlocutores dispunha de pintores fisionômicos e naturalistas, de criadores de gado, agricultores, jornalistas, donas de casa, ricos colecionadores, ascetas e até próceres. Cada um regia uma versão e todas saíam dele. As variações giravam em torno de uma curiosa impossibilidade: como se podia transmitir a frase "sou um monstro"? Estampá-la no papel era fácil. Mas transmitir seu significado era muito mais difícil. Esmerava-se especialmente, com um sentimento de urgência, nas cartas aos amigos chilenos, sobretudo os Guttiker, que já tinham lhe comunicado que o hospedariam na casa deles, em Santiago, como tinham feito poucos meses antes. Pois era iminente que eles o vissem, e sentiu necessidade de prepará-los. O óbvio nesse caso teria sido exagerar, para amortecer a surpresa. Mas não era fácil exagerar, com aquele rosto. Corria o perigo de ficar abaixo, sobretudo se eles estivessem descontando o óbvio exagero. E então o efeito seria o oposto do esperado.

De qualquer maneira, não ficou recluso, ao contrário. Seu regime físico natural exigia muito ar livre e exercício. E mesmo no estado semi-inválido em que se encontrava, com a frequência das enxaquecas, os distúrbios nervosos e a dependência dos medicamentos, era necessário dedicar as horas boas de luz ao cavalo e à pintura do natural. O fiel Krause continuava ao seu lado, sem arredar, porque às vezes, quando vinham os acessos longe de casa, era preciso carregá-lo no cavalo e levá-lo de volta galopando, escutando seus gritos. De fato, esses momentos espetaculares não eram o mais chamativo das suas saídas. Rugendas chamava muito a atenção mesmo se comportando com o mais tranquilo cavalheirismo. As pessoas se reuniam a fim de olhar para ele e, nesse meio semisselvagem como eram os pitorescos arredores da cidade, não se podia esperar muita discrição. As crianças não eram o pior, porque os adultos também se comportavam como crianças. Viam-no desenhar concentrado nos grandes dispositivos hidráulicos de irrigação (detivera-se neles nessa etapa) e ardiam em curiosidade para ver seus papéis. O que imaginariam? Rugendas, por sua vez, sempre que pegava o pincel, devia refrear a tentação de desenhar a si mesmo. O clima tinha se tornado a perfeição de todas as perfeições nesse fim de verão. As paisagens ganhavam uma plasticidade infinita; se envolviam na luminosidade da cordilheira conforme as horas e se tornavam transparentes, em cascatas intermináveis de detalhes. A luz das tardes, filtrada pela imponente muralha de pedra dos Andes, era um puro fantasma de luz, ótica intelectual, habitada por rosas intempestivos de meia tarde. Os crepúsculos se prolongavam por dez, doze horas. E, à noite, rajadas de vento reacomodavam estrelas e montanhas no curso dos passeios dos dois amigos. Se era verdade, como diziam os budistas, que tudo o que existe, até uma pedra ou uma folha seca ou um zangão, tinha sido antes e voltou a ser depois, que tudo participava de um grande ciclo de renascimentos, então tudo era um homem, um só homem em escalas de tempo. Um homem qualquer, Buda ou um mendigo, um deus ou um escravo. Dado o tempo suficiente, o universo inteiro se reintegrava na forma de um homem. O que tinha grandes consequências para o procedimento: por enquanto o tirava do automatismo de uma mecânica transcendental, com cada fragmento se colocando no lugar predeterminado; cada fragmento podia ser qualquer outro e a transformação se realizava não mais no ciclo do tempo, mas no do significado. Essa ideia podia presidir uma concepção totalmente diferente da realidade. No seu trabalho, Rugendas começara a notar que cada traço do desenho não devia reproduzir um traço correspondente da realidade visível, numa equivalência um a um. Ao contrário, a função do traço era construtiva. Daí que a prática do desenho continuava sendo irredutível ao pensamento e, apesar da completa incorporação do procedimento, lhe era possível continuar desenhando.

Os Godoy não conseguiam se acostumar a ele. Isso era um interessante chamado de atenção para o futuro. É possível se acostumar a qualquer deformação, até a mais horrível, mas quando se soma um movimento incontrolável das feições, um movimento fluido e sem significado, o hábito resiste a se instalar, compreensivelmente. Por simpatia, a percepção se mantém fluida. Rugendas, apesar de sociável e conversador, viu-se levado a encurtar as sobremesas e a tornar solitárias suas noitadas. Não lhe era difícil, uma vez que podia se desculpar com a verdade: as enxaquecas sobre-humanas o prostravam na cama do sótão e a dor o fazia se retorcer como uma serpente enfeitiçada... não só na cama, mas no chão, nas paredes, no teto... Quando o remédio agia, voltava às cartas.

Ao escrever, pretendia atingir uma sinceridade absoluta. O raciocínio era este: se dava o mesmo trabalho, a princípio, dizer a verdade e mentir, por que não dizer a verdade, sem lacunas nem ambiguidades? Mesmo que fosse apenas como um experimento. Mas era mais fácil dizer do que fazer, em especial porque, neste caso, fazer era dizer.

Talvez a morfina nunca fosse metabolizada. Talvez recomeçasse uma segunda ou terceira fase. Ou então a combinação de ópio, enxaqueca e dissolução nervosa de um artista da fisionomia da natureza desse um resultado único. O certo é que a "verdade" se agigantava na sua imaginação e fazia explodir suas noites no quartinho sobre o telhado.

Ficou registrado nas cartas desse período um assunto bastante extemporâneo com o qual ele deu para teimar, com insistência de maluco. Seu livro *Viagem pitoresca através do Brasil*, pilar da sua extensa fama europeia, fora escrito na realidade por outro, pelo jornalista e crítico de arte francês Victor Aimé Huber (1800-1869), com base nas anotações de Rugendas. O que não tinha lhe parecido nada especial naquele momento agora começava a parecer estranhíssimo, e se perguntava como pudera concordar com a manobra. Que um livro assinado por X fosse na realidade escrito por Y, não era aberrante? Se havia aceitado sem pensar, teria sido pela distração causada por todo o processo da edição, que num livro dessa natureza era um oceano de dificuldades. Eram tantas as habilidades necessárias, desde o financiamento do projeto até o colorido das lâminas, que a redação do texto parecia um detalhe entre outros. A atração principal do livro eram as cem litografias que continha, que foram realizadas por artistas franceses, exceto três feitas pessoalmente pelo próprio artista; a casa de litografia, Engelmann & Co., apesar de ter a justa fama de ser a melhor da Europa, não o eximiu de um minucioso controle pessoal do processo, que consistia em vários passos e estava recheado de armadilhas. O texto ficou parecendo um acompanhamento das imagens; mas o que não tinha visto então, e começava a ver agora, era que por considerá-lo um acompanhamento, ou um complemento, o estava separando da parte "gráfica". E a verdade, tal como aparecia agora, era que tudo fazia parte do mesmo. Com o qual o escritor mercenário, o "nègre", se metia na própria essência do trabalho, com a desculpa de estar preenchendo uma função puramente técnica, a redação organizada em frases dos balbucios desconexos da documentação falada. Mas tudo era documentação! Esse era o início e o fim do jogo! O início sobretudo (porque o fim se perdeu nos percursos nebulosos da história da arte e da ciência). A Natureza mesma, afetada a priori pelo procedimento, já era documentação. Não havia dados desconexos. A ordem já estava implícita na revelação fenomênica do mundo, a ordem do discurso conformava as próprias coisas. E dessa ordem participava o seu atual estado, do qual por consequência era necessário examinar o aparente caos visionário ou maníaco e reduzi-lo às suas formas de razão. É preciso dizer aqui que Rugendas não estava sendo medicado com morfina pura; naquela época não era sintetizada como agora, mas conservava um componente ativo de ópio em brometo. Somavam-se os benefícios do melhor analgésico com os do melhor antidepressivo. E seu rosto se agitava como os ponteiros de uma eternidade de transmigrações budistas. Era uma solução peculiar para a "dor editorial" proveniente das suas falhas de outrora.

Ainda que as cartas dos Guttiker o compelissem a empreender a travessia, esta continuava sendo postergada. O trabalho de escrever o absorvia, a apreensão de enfrentar com seu novo rosto os conhecidos persistia, e diminuíra a urgência de atenção médica, em parte porque encontrara certa estabilidade nos seus tormentos, em parte porque se agarrava à ideia da inutilidade de qualquer tratamento. E acima dessas razões pesava o ideal da temporada mendocina para a prática da pintura. A esse item foi acrescentado outro elemento concorrente: na medida em que o estado do pintor permitia, os dois amigos começaram a tornar mais longas as excursões, aventurando-se sempre na direção do sul, aos bosques e lagos em que parecia se renovar um misterioso trópico frio, de luz azul e folhagem sem fim. Pernoitavam em San Rafael, um povoado dez léguas ao sul da capital provincial, ou em fazendas daquela zona, propriedades de parentes e amigos dos Godoy, e penetravam, às vezes durante dias inteiros, pelos vales sinuosos, à procura de vistas que captavam em aquarelas cada vez mais estranhas. Os dias eram deliciosos demais para serem abandonados. A lenda, baseada em certas imprecisões das cartas dessas semanas, quer que Rugendas tenha chegado muito longe ao sul, até regiões não trilhadas ainda pelo homem branco, talvez até as sonhadas geleiras, as montanhas móveis de neve, portas inexpugnáveis de outro mundo. As anotações sobre a natureza nessas datas abonam o mito. Um ar de distância impossível os envolve. Para que isso tivesse acontecido, Rugendas teria de ter se transportado pelos ares, como um Imortal, do conhecido ao desconhecido. Psiquicamente, fazia isso o tempo todo. Mas o fazia enquanto atividade normal e comum, com a qual contrastavam os fatos incríveis, as anedotas, os episódios.

O certo é que estavam no meio de uma natureza estimulante pela novidade, tanto que Rugendas precisava solicitar ao amigo a confirmação de que era um fato objetivo, e não produto das suas alterações de consciência. Pássaros sem protocolos nem adiamentos lançavam cantos estrangeiros no matagal, galinhas-d'angola e ratazanas hirsutas debandavam à sua passagem, robustos pumas amarelos os espreitavam das cornijas rupestres. E o condor planava pensativo sobre os abismos. Os abismos tinham por sua vez outros abismos, e dos subterrâneos profundos alçavam-se árvores feito torres. Viam desabrochar flores estridentes, grandes ou pequenas, algumas com patas, algumas com bexigas redondas de polpa de maçã. Os cursos d'água continham moluscos em forma de sereia, e sulcavam o fundo, sempre contra a corrente, legiões de salmões rosados do tamanho de terneiros. O verde muito escuro das araucárias fechava-se em pretos aveludados ou se abria em paisagens altas que sempre pareciam de cabeça para baixo. Nas superfícies dos lagos, bosques de murtas delicadas, com os troncos feito tubos de borracha amarela, suaves ao toque e frios como gelo. O musgo se acumulava em poltronas selvagens, as loucas palmatórias das samambaias tremiam em camadas de ar.

Até que chegou o dia em que lembraram que desses recintos costumavam sair os índios em ataques fulminantes e mortíferos. Se lhes dissessem que saíam do nada, não se surpreenderiam. Mas obviamente vinham de mais longe, quem sabe de onde, e nos bosques da pré-cordilheira encontravam as passagens rápidas por onde entrar e sair novamente da civilização. A memória desse assunto, que ocupara a imaginação do pintor antes do acidente, voltou a eles não por uma associação de ideias, mas pelo próprio fato, do modo mais abrupto. Tinham passado a noite numa fazenda de criação de gado nos arredores de San Rafael, depois de acampar três dias seguidos em edênicas e altas ramagens; apesar de na descida terem planejado voltar para Mendoza de uma vez, demoraram-se pintando e tiveram de pernoitar no casarão da fazenda, cujo proprietário se dispôs a finalizar sua estadia estival e empreender o traslado para a cidade, onde os jovens faziam seus estudos. Rugendas, que estava passando por um período especialmente crítico, teve uma noite de vertigens e drenagens cerebrais; enfrentou-as com tal excesso de morfina que a aurora o encontrou sonâmbulo, suado, a face cheia de relâmpagos dançando e as pupilas contraídas como se estivesse no centro do sol.

Precisamente quando saía o sol, começaram a ressoar gritos e ruídos de cavalos no pátio.

Malón! Malón!

O quê?

Malón! Malón!

A casa pôs-se em movimento num passe de mágica; era como se todos os seus moradores se lançassem contra as paredes feito loucos furiosos. Os dois amigos saíram do quarto rumo à galeria do pátio. A intenção de Krause era averiguar o que estava acontecendo, qual o alcance do distúrbio e se haveria possibilidade de empreender o retorno a Mendoza, deixando o amigo na cama enquanto fazia essas perguntas; mas Rugendas saiu atrás dele, semivestido e cambaleante. Krause poderia tê-lo devolvido ao leito fazendo valer sua autoridade, mas não valia a pena: no alvoroço ninguém prestaria atenção às evoluções adormecidas do monstro, e não dava para perder tempo. De modo que o deixou vaguear livremente.

Os homens estavam organizando a defesa. Como não era a primeira vez, nem seria a última, que precisavam sair armados para conter os índios, faziam-no com desenvoltura. Era uma das formas do trabalho, só isso. Mas o costumeiro da circunstância não implicava nenhum progresso na organização; esta era impossível, por causa do risco e da imprevisibilidade do raide. Com os dados básicos apenas se improvisava um contra-ataque, tão fulminante quanto fosse possível, e dentro do possível coordenado com um rodeio de emergência, pois se tratava antes de mais nada de salvar o máximo possível de cabeças de gado.

Pelas informações trazidas por um mensageiro, sabiam que o ataque se voltara, no raiar do dia, sobre o posto dos Correios, onde se produziu um massacre, para se irradiar dali nos arreios selvagens por toda a zona. Não podiam ter avançado muito, e já partiam os capangas das estâncias dos arredores. O *malón* tinha sido estimado em mil homens: era de magnitude média-grande.

Um contingente de peões ficaria na casa com as mulheres e as crianças para sua defesa; a casa, o proprietário explicou a Krause, transformava-se em forte por meio de uns simples ajustes que já estavam sendo feitos. Perguntou o que eles fariam; podiam ser úteis tanto acompanhando-os quanto ficando ali.

A conversa, interrompida por gritos e ordens (e gestos enérgicos), se dava no meio do pátio, de onde já convergiam os homens armados. Krause, meio dormindo ainda, ficou um pouco em dúvida e virou para ver se o amigo retornara ao quarto... Mas não, estava ali, escondendo o rosto com o chapéu, quieto como uma árvore. Tomou-o pelo braço, causando-lhe um grande sobressalto. Perguntou se tinha ouvido. A resposta foram uns balbucios... Não, evidentemente não ouviu nem entendeu nada do que estava acontecendo. Tomou na hora a decisão de devolvê-lo à cama e ficar para colaborar na eventual defesa da casa. Não pôde evitar um sentimento de pena: haviam fantasiado tanto com a visão dos índios em ação e agora que surgia a chance tinham de perdê-la. Enquanto o fazendeiro e seus homens saíam ruidosamente pelo portão, ele levava Rugendas pelo braço para a casa. Como pendia para o outro lado, optou por se posicionar às suas costas e tomá-lo com as mãos pelos dois braços, a fim de guiá-lo ao mesmo tempo que o mantinha ereto. Caminhava com passos rígidos, mas todo o corpo parecia afetado pela desconexão. Ele continuava balbuciando e, como Krause não prestava atenção, deu um grito. Já estavam novamente na galeria. Krause ficou na frente dele para que o visse e perguntou, com certo incômodo, o que estava dizendo. Era alguma coisa sobre uma mantilha. Abriu a porta do quarto e Rugendas se precipitou para dentro. Foi diretamente até sua maleta de trabalho; apontou para a do amigo. Ele não acreditava no que via, mas era preciso render-se à evidência: o grande Rugendas queria tomar notas do *malón*, mesmo no seu estado. Sentou na cama desanimado. É impossível, impossível, dizia. Rugendas não lhe dava bola. Dera-se conta de que estava descalço e começava o laborioso trâmite de calçar as botas. Ergueu o rosto a fim de olhar para Krause: os cavalos, disse. Tratou de dissuadi-lo com um argumento que lhe ocorreu no ato: podiam dormir umas horas e sair pelo meio-dia. A atividade continuaria pela tarde, com certeza. Mas Rugendas não o escutava, estava em outra dimensão. O quarto se transformara, pela ação dos seus movimentos, no laboratório de um sábio louco que se propunha alcançar algum tipo de transformação do mundo. A meia-luz ainda noturna do interior dava-lhe determinações flamencas. O leão roxo manuseava as botas, em quatro patas. Krause escapou rumo às cavalariças, seguido pelos tropeços do abotinado: a mantilha! a mantilha! a manta! Levariam só o Raio e o Baio. Não tinha por que ser mais do que um piquenique de pintura e, afinal, o mais provável era que a cavalgada, e algum interesse concreto, refrescassem um pouco as ideias do pobre amigo. Sem dúvida estivera excedendo suas forças nos dias anteriores, por causa das belezas que iam encontrando. O acontecimento caía em mau momento, mas por pior que fosse podia servir para esgotar as energias ou, melhor dizendo, terminar de esgotá-las e, tal como estavam as coisas, só indo ao fundo haveria esperanças de começar a melhorar.

Esperava-o no pátio com o estojo de carvões e o chapéu na face. Continuava falando da mantilha e, por fim, Krause entendeu do que se tratava. Era uma boa ideia, e ele deveria ter pensado nisso, mas não podia se recriminar porque tinha coisas demais na cabeça. Vou ver, disse, e aproveito para comunicar à senhora nossas intenções. Rugendas foi com ele e quando encontraram a dona de casa, na cozinha, foi o doente que arrancou forças da fraqueza para fazer o insólito pedido de uma mantilha de renda, preta por convenção, isso não era preciso dizer. As senhoras sul-americanas abundavam nesses artigos católicos. Não se estendeu muito nos motivos que o fizeram necessitar dela, e a senhora deve ter achado que era para esconder a feia deformação e os truculentos movimentos nervosos do rosto. Somente se espantou, nesse caso, de que não tivesse providenciado antes essa piedosa cobertura. Para um mendocino (o mesmo teria sido para um chileno), a ideia em si não tinha nada de estranha, em razão da longa e venerável tradição de "cobertos" (homens mascarados) com que o país contava. De todo modo, era um momento em que eram pedidos objetos insólitos e nos termos da mais radical urgência, sem dar razões. Mandou buscar a mantilha e, enquanto esperavam, deu algumas indicações de lugares e fluxos de guerra. Parabenizava-os pela ideia de ir pintar as ações e estava certa de que capturariam algumas imagens interessantes. Só que deviam tomar cuidado e não se aproximar muito. Estavam armados? Os dois carregavam revólveres. Não, com ela não precisavam se preocupar, porque a casa era segura. Já passara várias vezes pelo mesmo transe e não a assustava. Chegaram a trocar piadas; os aguerridos pioneiros riam das loucuras do século. Sua escala de valores incluía as perturbações mais escandalosas. Os índios para eles eram parte da realidade. O estrangeiro queria pintá-los? Não viam nada de estranho nisso.

Cá estava a mantilha, de fina renda preta. Rugendas pegou-a reverentemente e a primeira coisa que fez foi avaliar sua transparência, que ao que parece o deixou satisfeito. Sem mais, se despediu, prometendo a devolução da peça intacta no pôr do sol. Nessa hora, disse a senhora com uma risada heroica, talvez eu já seja *madame* Pehuenche. Deus não o permita!, exclamou Krause, inclinando-se para beijar a mão que ela estendia.

Saíram. Um peão mantinha aberto o portão do pátio, que seria trancado quando saíssem. Rugendas agitava a mantilha na mão como um louco e bateu numa coluna da galeria. Saltaram nos cavalos. Upa! Mas o pintor montara ao contrário, olhando para o rabo. Os animais arrancaram e ele cobriu o rosto com a mantilha, colocou o chapéu por cima e a prendeu ao pescoço com um nó na nuca... Mas ao buscar as rédeas, é claro que não as encontrou... O cavalo não tinha cabeça! Então se deu conta de que estava sentado ao contrário e fez a volta, com manobras de circo de terror. Quando terminou (Krause ia mais adiante, envergonhado), já estavam saindo e as enormes grades fechavam-se às suas costas com um baque ao qual responderam os pássaros.

A bela manhã sanrafaelina os recebia com cantos de liberdade. O sol estava saindo entre as árvores. Emparelharam. Raio e Baio estavam frescos e dóceis, o passo suave, as caras inexpressivas. Tudo bem?, perguntou Krause. Sim! Estás bem? Sim! Parecia perfeito, era inegável. O rosto envolvido na mantilha. Não se viam os ferimentos que tinha sofrido. Não era esse o objetivo de usá-la, é claro. Servia-lhe para filtrar a luz. Sua pobre cabeça alterada, seu sistema em ruínas sofria com a luz direta; as pupilas já não podiam se contrair mais, eram pontos, a droga anulava o sistema elástico e a iluminação tornava-se inassimilável. Era como se tivesse dado mais um passo para dentro dos quadros. Por um curioso fenômeno de familiarização, Krause adivinhava as caretas absurdas do outro lado da renda preta.

A manhã era realmente gloriosa, uma manhã de *malón*. Não havia uma única nuvem no céu, o ar tinha uma vibração lírica, os pássaros penteavam as árvores. Um propósito abrira a tampa da caixa do mundo: o combate, o enfrentamento das civilizações, como nos grandes começos da história. Saíram numa pradaria muito ampla, ouviram tiros ao longe e se lançaram ao galope.

Krause não escrevia cartas, ou então ninguém se preocupou em guardá-las. De modo que o registro dos seus pensamentos só pode ser feito de maneira indireta ou especulativa. Rugendas tinha mencionado repetidamente que o via preocupado (na descrição epistolar do próprio estado, Rugendas fazia de Krause um elemento retórico a mais, uma "cor" a mais: os sentimentos que lhe emprestava, e às vezes inventava, serviam para dizer coisas sobre si mesmo que a delicadeza ou a vergonha impediam-no de dizer em primeira pessoa, por exemplo, "K. opina que os meus novos desenhos não perderam qualidade"). Sem faltar aos seus deveres autoatribuídos de amigo, antes acentuando-os, Krause tomava uma distância pensativa e triste. Na cavalgada o assaltaram ideias lúgubres sobre o estado de saúde do amigo. Sentia-se culpado por permitir essa loucura e algo mais do que isso: já o fato de empreendê-la tinha um ar de "nada mais importa", como dar um último prazer a um moribundo. Era isso o que coloria todas as suas reações: que a morte tivesse ido dar uma bicada neles, não importava se naquele momento era prévia ou antecipatória. No transcurso de uma viagem se vê tanta gente, tanta humanidade, que parecia injusto que o ponteiro de segundos se detivesse só num deles. Não perguntar "por que ele?" era tão natural que a pergunta "por que eu?" soava escandalosa e impossível. Claro que no caso de Krause não era "por que eu?", mas "por que ele?"; só que a união estreita entre os dois dava uma nova volta de parafuso à pergunta, que chegava à sua forma mais perturbadora: "por que não eu?". De repente se via como um sobrevivente, um herdeiro, com todo o Rugendas dentro dele arrastado por uma imensa tração de tempo. Se eles dois eram toda a humanidade, como muitas vezes lhe parecera ser, por uma simplificação natural do pensamento, houvera a mesma quantidade de probabilidade de que correspondesse a um ou ao outro. E, ainda que correspondesse a um só, o equilíbrio persistia. Afinal, esse dia esplendoroso de *malón* podia ser lembrado como "a data em que Krause morreu". Por isso continuavam juntos, apesar de tudo o que podia tê-los separado. Essa era a função do sócio: sobreviver, na vida e na morte. E se daí derivavam sentimentos lamentáveis de culpa e de nostalgia, a melancolia resultante cumpria uma função no sistema geral da euforia: só na melancolia podiam surgir boas ideias sobre os mortos, e essas ideias podiam ser úteis ao procedimento.

Os índios eram o contágio. Onde estavam? Dirigiam-se a eles, como numa ilustração, no amanhecer resplandecente. Tinham encontrado por acaso um caminho, que devia ser o do Posto de Correios, e se precipitaram por ele, ouvindo cada vez mais perto os tiros e, a partir de certo ponto, os gritos. Era a primeira vez que ouviam índios.

Ao transpor os paralelos de algumas alamedas estreitas, puderam ver a ação, a primeira daquele dia memorável. Ao fundo, o edifício branco do Posto, pequeno como um dado. Antes, uma tropa de fazendeiros disparando para o ar desde seus cavalos, e os índios correndo nos seus, aos gritos. Tudo era velocíssimo, inclusive eles, que desciam na direção do valezinho à rédea solta. A mecânica do encontro, que se repetiu em todos os que presenciaram depois, era a seguinte: os selvagens dispunham só de armas cortantes e perfurantes, azagaias, lanças e facas; os brancos usavam escopetas, mas disparavam para o ar com fins dissuasivos; desse modo os segundos mantinham a distância que os primeiros precisavam ultrapassar para efetuar o massacre. Era assim que iam e vinham. Para sustentar esse equilíbrio era preciso uma grande velocidade; ambos os bandos aceleravam constantemente e, como o outro devia permanecer atento, chegavam quase de imediato à saturação. A cena era muito fluida, muito distante, esgotava-se numa ótica de espectros...

Era bom demais para não desenhar. Assim o fizeram, sem apear dos cavalos, apoiando o papel nas pranchas portáteis. Quando olharam novamente, já não havia ninguém. Krause deu uma espiada no croqui do amigo. Era estranho e inquietante vê-lo desenhar escondido dentro do capuz preto. Perguntou-lhe se estava vendo bem.

Nunca tinha visto melhor. Nas profundezas da sua noite-mantilha, o furo de agulha que era sua pupila o despertava ao panorama do dia claro. E o pó de semente de papoula, substância ativa dos analgésicos, proporcionava sonho suficiente para despertar de novo dez vezes por segundo.

Mas enfiaram os papéis no bornal e lançaram os cavalos outra vez, porque essa cena não tinha sido mais que um aperitivo. E, ao sair do vale (sorte de principiantes), puderam ver uma centena de índios escapulindo para o norte, certamente rumo a alguma das fazendas desprotegidas da região. Também ali tomaram notas; Rugendas encheu cinco folhas antes que se perdesse de vista esse grupo. Empreendiam a marcha quando cruzou com eles uma tropa de fazendeiros, a quem puderam dar indicações. Tornavam-se úteis, mesmo que se mantendo *au dessus de la melée*.

Ao ficarem sós, desceram a trote até o sul, trocando as primeiras impressões. Por sorte os dois tinham boa visão. Ao que parecia, teriam de se resignar a ver os índios pequenos como soldadinhos de chumbo. Mas os detalhes estavam lá, provocavam uma violenta impressão nas retinas e se amplificavam no papel. De fato, se quisessem, poderiam desenhar detalhes soltos. O detalhe que lhes interessava era a fugacidade, a organização no acaso, a velocidade de organização.

O procedimento do combate índios-brancos se reproduzia no dos pintores: havia um equilíbrio entre perto e longe do qual era preciso tirar o máximo proveito.

Depois de certa altura voltaram a ver ação, dessa vez os índios escapando por uma encosta escabrosa, com os cavalos transformados em cabras, e abandonando dezenas de bezerros roubados, em meio aos quais os fazendeiros descarregavam sua fuzilaria. A cena era extremamente pitoresca. O carvãozinho começou a voar sobre o papel. A montanha, sobre a qual o sol batia perpendicular, tornou-se pista de corridas de escape, como a plumagem aberta de um pavão. Era preciso ter cuidado para não exagerar no desenho, porque na escalada os ginetes índios corriam o risco de se tornar pégasos. No entanto, o realismo estava assegurado desde que o tomassem com naturalidade, e então a pressa, a solução das perspectivas em ação, ajudava.

Quando os índios desapareceram, aproximaram-se a galope para ver o que os fazendeiros estavam fazendo. Os tiros tinham causado efeito na tropa de bezerros. Alguns animais tinham morrido, outros mantinham-se em pé infartados. Os homens discutiam sobre as marcas, que estavam misturadas e faltavam em alguns exemplares recém-desmamados. Para os alemães era uma novidade que as marcas a fogo fossem objeto de discussão; sempre tinham pensado nelas como signos, destinados a uma leitura unívoca. Informaram-lhes ali que tropas do forte estavam combatendo corpo a corpo nos currais do Tambo, a duas léguas de onde estavam. Agradeceram a informação e partiram.

Mas a meio caminho tiveram de fazer outra parada, a quarta, para tomar notas de um embate nos remansos de um arroio. Começavam a se convencer de que havia índios em todos os lugares. Como costuma ocorrer aos colecionadores, não era a falta, mas o excesso o que podia ser um problema. Evidentemente os demônios usavam a dispersão como mais uma arma.

Era como percorrer os ambientes de uma casa durante uma festa, da sala à copa, do quarto à biblioteca, da lavanderia à varanda, e em todos eles encontrar convidados barulhentos e alegres, meio alcoolizados, se escondendo para trocar carícias ou procurando o dono da casa para pedir mais cerveja. Só que era uma casa sem portas nem janelas nem paredes, feita de ar e distância e ecos, e de cores e formas de paisagem.

O arroio podia ser o banheiro. Os índios queriam se aproximar, mas se afastavam; os brancos queriam se afastar, mas para conseguir isso deviam se aproximar (para assustar mais com os estampidos). Os cavalos enlouqueciam nessas ambivalências, entravam na água, se molhavam ou simplesmente se punham a bebericar muito tranquilos enquanto seus ginetes se acabavam em fugas e perseguições simultâneas. Havia uma plasticidade infinita (ou ao menos algébrica) na escaramuça, e como Rugendas estava tomando-a de mais de perto que as anteriores, lançava o lápis em esboços de musculatura distendida e contraída, cabeleiras molhadas colando-se nos ombros sumamente expressivos...

Tudo o que se desenhava nesse presente explosivo era material para futuras composições — mas mesmo o provisório tinha um limite. Era como se cada volume representado em pleno voo no papel tivesse que ser reunido com os demais, na calma do gabinete, borda com borda, como um quebra-cabeças, sem deixar vazios. E realmente seria assim, porque tudo era volume, até o ar, na magia do desenho. Exceto que para Rugendas já não havia "calma do gabinete", mas horrendas torturas, narcóticos e alucinações.

Os selvagens se dispersavam em estrela, e quatro ou cinco o fizeram subindo pelos outeiros onde se encontravam os pintores. Krause sacou o revólver e atirou duas vezes para o ar; Rugendas estava tão compenetrado que se limitou a escrever na sua folha: BANG BANG. Os índios devem ter se assustado com a cabeça envolvida na renda preta, porque fugiram sem mais pelas encostas. Eles desceram até o arroio e os cavalos se refrescaram: tinham andado muito e entre uma coisa e outra já estavam à meia manhã. Começaram a conversar com os homens que tinham ficado no leito. Eram soldados do forte: vieram do Tambo perseguindo os índios e agora voltavam. Seguiriam juntos.

Para Krause soava curioso que nem esses homens, nem os que tinham visto antes, tivessem mostrado nenhuma estranheza com a máscara que cobria o rosto do pintor. Mas era bastante lógico que o tomassem com naturalidade, porque o normal nesses apertos era a adaptação de elementos quaisquer para qualquer fim. Também em circunstâncias normais há uma explicação para tudo; nas anormais, a própria explicação tem uma explicação.

Ao que tudo indicava, no Tambo havia uma batalha em curso; os soldados estavam com pressa para partir. Krause propôs que eles dois descansassem uma horinha nessas margens frescas; assustava-o o estado de superexcitação do amigo, e as consequências que pudesse ter para seu sistema. Mas Rugendas não queria saber de nada; dizia que ainda nem começara. Havia tanto para fazer, no presente! Desse ponto de vista era verdade: não começara, e nunca começaria.

Lá foram então com os soldadinhos, que gracejavam e se exibiam de façanhas cômicas. Tudo parecia bem inofensivo. Era isso um *malón*? Um fato pictórico? Existia a possibilidade de que desse um giro e mostrasse seu famoso rosto sanguinário. Mas se não o fizesse, dava no mesmo.

Não chegaram ao Tambo. A meio caminho Rugendas teve uma crise, e das fortes. Os soldados se assustaram com seus gritos e cabriolas sobre a montaria. Krause teve que lhes dizer para seguirem adiante, que ele se encarregaria. Havia um montinho nas proximidades e até ele foram os dois, o doente arrancando o chapéu e fazendo-o voar, e se dando golpes nas têmporas. O que mais perturbara os soldados havia sido escutar os gritos de dor saindo de dentro da mantilha preta. Não conseguiam relacioná-los a uma expressão subjetiva. Curiosamente, a Krause acontecia o mesmo. Fazia horas que cavalgava e desenhava com o amigo sem ver o seu rosto, e os gritos o fizeram compreender que já não poderia reconstruí-lo.

Apearam numa sombra. Rugendas tomou os remédios entre convulsões, todos juntos, sem medir, e caiu adormecido. Acordou meia hora depois, sem dores agudas, mas num torpor alucinado. O único fio que o unia à realidade era a urgência para seguir de perto os acontecimentos. Claro que a essa altura o *malón* parecia só mais um desvario. Não havia tirado a mantilha, de que agora devia precisar mais do que nunca, e Krause não se atreveu a lhe pedir que a tirasse um instante para vê-lo. Começava a ter ideias estranhas sobre o que haveria do outro lado da renda. Por mais que fizesse, não conseguiu detê-lo. Teve que ajudá-lo a montar e, ao tocar nele, se impressionou com o seu corpo gelado.

O Tambo foi o melhor do dia, em termos de fisionomia de combate. Tomaram-no de vários pontos de vista e durante horas, até depois do meio-dia. Foi um constante desfile de índios, que compensavam a fugacidade com o reaparecimento. Os desenhos de Rugendas saíam pluralistas. Mas por acaso não era sempre assim? Até quando desenhava um dos dezenove vegetais do procedimento, estava contando com a reprodução que o devolveria ao seu número, para continuar fazendo natureza. Os índios, nas suas travessias de biombo, estavam fazendo história, a seu modo.

As posturas que os índios adotavam sobre os cavalos eram inacreditáveis. Faziam parte de um sistema de amedrontamento e exibição à distância. Tinha algo de circo, com tiros no lugar dos aplausos. Não lhes importavam as leis da gravidade e nem sequer ser apreciados em todo o seu valor; é verdade que as posturas não tinham nenhum valor em si. Rugendas devia retificá-las no papel, onde regia uma composição estática verossímil. Nos esboços não retificava totalmente, de maneira que ficavam restos da sua estranheza real, restos de certo modo arqueológicos, porque era preciso cavar com velocidade para vislumbrá-los.

Do Tambo, que era um complexo de construções baixas com longos anexos de currais, saíam hostes de soldados fazendo soar toda a sua artilharia; os círculos selvagens se quebravam momentaneamente e voltavam a se formar segundos depois. As vacas leiteiras tinham se agachado e eram vistas como vultos escuros. As danças dos ginetes selvagens chegaram ao extremo da fantasia quando começaram a exibir as cativas. Essa marca era uma das mais características, quase definidora, dos *malones*. Junto com o roubo de gado, o de mulheres era o motivo de se darem a tal trabalho. Na realidade, era um fato pouquíssimo frequente; funcionava antes como desculpa e mito propiciatório. As cativas que esses índios do Tambo não tinham conseguido agarrar eram exibidas de qualquer maneira, num gesto de desafio, e também muito plástico.

Lá vinha, dando a volta na colina do riacho, um grupinho de selvagens vociferantes, as azagaias erguidas: finca! mata! aaah! iiih! E no meio deles, triunfante, um índio que era o que mais gritava e levava abraçada, atravessada sobre o pescoço do animal, uma "cativa". Que não era tal, é claro, mas outro índio, disfarçado de mulher e fazendo gestos afeminados; mas era tão tosco o disfarce que não enganaria ninguém, nem sequer a eles mesmos, que pareciam levá-lo na chacota.

E fosse pela piada, fosse pelo valor simbólico do gesto, levaram-no mais longe. Um passou abraçando uma "cativa" que era uma terneira branca, na qual fazia afagos jocosos. Os tiros dos soldados multiplicavam-se, como se a chalaça os deixasse furiosos, mas talvez não fosse assim. E noutra passada, já no cúmulo da extravagância, a "cativa" era um salmão descomunal, rosado e ainda úmido do rio, atravessado sobre o pescoço do cavalo, abraçado pela forte musculatura do índio, que com seus gritos e gargalhadas parecia dizer: "levo esta para reprodução".

Todas essas cenas eram muito mais de quadros do que da realidade. Nos quadros podem ser inventadas, pintadas; e sendo assim podem se superar em estranheza, em incoerência, em loucura. Na realidade, por outro lado, acontecem, sem invenção prévia. Diante do Tambo estavam acontecendo e, ao mesmo tempo, era como se estivessem inventando a si mesmas, como se manassem dos úberes das vacas pretas.

Teria sido impossível transportá-lo ao papel, nem sequer em alguma espécie de taquigrafia, caso estivesse perto. Mas a distância o tornava quadro outra vez, ao incluir tudo: índios, ronda, Tambo, soldados, pista, tiros, gritos e a visão geral do vale, as montanhas, o céu. Era preciso fazer tudo pequeno como pontos, e se preparar para reduzir mais ainda.

Produzia-se uma cascata transitiva e transparente em cada círculo e, a partir dela, recompunha-se o quadro, como arte. Figuras pequeninas dando corridinhas na paisagem, sob o sol. Claro que no quadro podiam ser vistas de muito perto, ainda que fossem minúsculas como grãos de areia; o espectador poderia se aproximar o quanto quisesse, aplicar a visão microscópica e ver os detalhes. Nos detalhes, por sua vez, recuperava-se o estranho, o que cem anos depois se chamaria "surrealista" e, naquele momento, era a "fisionomia da natureza", vale dizer, o procedimento.

O desfile continuava. As velocidades oscilavam. Não pareciam cansar nunca. De repente houve uma saída de todos os soldados de uma vez, e os índios se dissiparam rumo às montanhas. Estabeleceu-se uma espécie de trégua, que nossos amigos aproveitaram para entrar no Tambo, onde estava ocorrendo um velório. Um dos ordenhadores fora assassinado pelos índios na primeira hora da manhã. As mulheres tiveram de reconstituir o cadáver. Era uma baixa. Os dois alemães pediram respeitosamente permissão para fazer um esboço. Comentaram que encontrar o culpado não seria tarefa fácil, se é que encontrariam. Depois fizeram uma busca pelas labirínticas instalações, e aceitaram o convite para almoçar. Havia churrasco, e nada mais que churrasco (nem mesmo pão para acompanhar). "Churrasco de índio", dizia o soldado churrasqueiro, dando risada. Mas era de terneira, muito macia e no ponto. Beberam água, porque durante a tarde teriam muito a fazer. Como todos se retiraram para fazer a sesta, Krause teve um bom argumento para que Rugendas descansasse por um momento. Foram deitar à beira do riacho.

Krause estava intrigado. Não havia acreditado que o amigo aguentaria o ritmo, mas o via disposto a continuar, e sem mostrar o rosto. Tinha comido (muito pouco) erguendo um pouco as pontinhas da sua manta-máscara e, diante da tímida pergunta do amigo se não era incômodo comer assim, respondera que a luz do meio-dia podia ferir seus olhos como uma navalha. Krause nunca o tinha visto tão precavido nas excursões recentes, nem sequer em dias de muita claridade ou de grande ingestão de analgésicos. É certo que era uma ocasião especial. De qualquer modo, era estranho em alguém tão esmerado quanto Rugendas ficar com a mantilha toda manchada de gordura.

Tomou de novo o pó de papoula, mas dessa vez não dormiu. Continuou acordado atrás da renda preta impenetrável, e como Krause também não dormia, revisaram os desenhos e conversaram. A coleção era generosa, mas a qualidade e a reconstrução seguinte era outra história. As tomadas soltas que cada um deles fizera não tinham outro objeto que o de formar histórias, cenas de histórias. Englobava-as a história geral do *malón*, mas este era apenas um episódio do longo combate entre as civilizações. De um nível da fragmentação se reconstruía outro nível. Para entender a reconstrução existe apenas uma equivalência, e bastante imperfeita, ainda que possa dar uma ideia. Suponhamos um policial genial fazendo um resumo das investigações ao marido da morta, ao viúvo. Com suas deduções sutis pôde "reconstruir", exatamente, como foi levado a cabo o assassinato; a única coisa que falta é a identidade do assassino, mas quanto ao resto acertou no alvo, quase magicamente, em tudo o que aconteceu, como se tivesse visto. E seu interlocutor, o viúvo, que na realidade é o assassino, tem de reconhecer que esse policial é um gênio, e tem de reconhecer porque realmente aconteceu como foi dito; mas, ao mesmo tempo, aquele que de fato viu como aconteceu, por ser a única testemunha presencial viva, além de ser o principal ator, não pôde identificar o que aconteceu a partir do que o policial está lhe contando, e não porque haja erros, grandes ou pequenos, ou detalhes equivocados, mas porque não tem nada a ver, há um abismo tal entre uma história e outra, ou entre uma história e a falta de história, entre o vivido e o reconstruído (mesmo quando a reconstrução tenha sido feita à perfeição), que ele simplesmente não vê relação nenhuma; e sendo assim, convence a si próprio de que é inocente, de que ele não a matou.

Também seria preciso pensar, e assim diziam os dois amigos, que o índio continuava sendo índio mesmo fragmentado na sua mínima expressão, por exemplo, um dedo do pé, a partir do qual era possível reconstruir o índio inteiro; o exemplo em que pensavam era outro: não o dedo do pé, nem a célula, mas o traço do lápis no papel que esboçava o contorno do dedo ou da célula.

Tudo isso levava a uma conclusão que para Krause era quase tão assustadora quanto a do assassino inocente: que os índios não eram compensáveis. Na realidade, era uma conclusão de uma velha ideia sua (e de outros): que cada defeito físico, ainda que menor, ainda que inevitável, como as pequenas decadências imperceptíveis que a velhice vai infligindo, precisam de uma compensação, e essa se dá sob a forma de inteligência, sabedoria, experiência, talento, saber agir, saber lidar com as pessoas, poder, dinheiro etc. Era por isso que Krause, o dândi, apreciava tanto sua disponibilidade física, sua postura, sua juventude; porque isso o liberava de ter todo o resto. Ainda assim, não podia evitar, sendo civilizado, estar no sistema da compensação. A pintura enquanto arte eletiva cumpria nele a função de assegurar o mínimo necessário. O mínimo que até hoje acreditara absoluto, e sem o qual supunha que não era possível continuar vivendo. Mas eis que hoje tinha visto os índios, e devia reconhecer que esse mínimo não era respeitado — ao contrário, desprezavam-no como objetos da pintura. Os índios não precisavam de compensação nenhuma, e sem necessidade sequer de serem garbosos e elegantes podiam se permitir também ser perfeitamente brutos e desagradáveis. Que lição para ele!

Mas nem bem disse isso, lembrou do estado em que estava o rosto do pobre amigo (ainda que oculto atrás da mantilha) e o que poderia interpretar do seu discurso.

Seus escrúpulos eram desnecessários, porque Rugendas estava perdido na mais profunda das alucinações: a não interpretativa. De certo modo, era ele quem chegara ao extremo da não compensação. Mas não sabia, nem lhe importava.

A prova dessa conquista era que no seu diálogo silencioso com a própria alteração (de aparência e perceptiva), ele via as coisas, não importava quais fossem, e as considerava dotadas de "ser", como os bêbados no balcão de um antro infecto, que fixam o olhar numa parede descascada, numa garrafa vazia, na beira de uma abertura de janela, e as veem surgir do nada em que sua serenidade interior os escondeu. Que importa o que sejam!, diz o esteta no cúmulo do paradoxo. O que importa é que são.

Dizem que esses momentos alterados não representam o verdadeiro eu. E daí? Era preciso aproveitá-los! Nesse momento, o pintor era feliz. Qualquer bêbado, para seguir com a comparação, pode comprovar isso. Mas, por alguma razão, para ser mais feliz ainda (ou menos feliz ainda, que é mais ou menos o mesmo) é preciso fazer coisas que só podem ser feitas em estado normal. Por exemplo, ganhar dinheiro, que é a atividade que requer mais lucidez, para poder continuar custeando o êxtase. Isso é contraditório, paradoxal, intrigante, e talvez seja uma prova de que o compensável não é tão fácil de deduzir.

A própria realidade pode chegar a um estágio de "não compensável". Aqui é preciso lembrar que Mendoza não é o trópico, nem sequer como licença poética. E Humboldt aperfeiçoara o procedimento em lugares como Maiquetía ou Macuto...

Na verdadeira tristeza do trópico, que é intransferível. Na noite que cai na metade do dia, o mar que volta e volta sobre Macuto, com essa monotonia inútil, e aquelas crianças mergulhando sempre da mesma pedra... Com que objetivo? Com que objetivo viviam? Para crescerem e se tornarem uns ignorantes seres primitivos que (além disso) chegariam à sua plena expressão quando fossem umas desprezíveis ruínas humanas.

Durante a tarde tudo foi se tornando mais e mais insólito. A atividade deslocara-se definitivamente do Tambo, motivo pelo qual os dois alemães partiram em busca de mais vistas, guiados pelos ruídos e rumores. Se o vale de San Rafael fosse um palácio de cristal, e as veredas do riacho suas alas e pátios, os índios estavam saindo dos armários, como segredos mal guardados. As cenas se sucediam, mas ao serem impressas no papel preparavam outras sucessões, que revertiam sobre a original. A paisagem, por sua vez, continuava imutável. A catástrofe se limitava a se enfiar nela por um extremo e sair pelo outro, sem alterá-la.

Os dois alemães prosseguiam no seu labor. As novas impressões do *malón* substituíam as velhas. Ao longo da jornada deu-se uma evolução, que não se completou, a um saber não mediado. É preciso considerar que o ponto de partida era uma mediação muito laboriosa. O procedimento humboldtiano era um sistema de mediações: a representação fisionômica se interpunha entre o artista e a natureza. A percepção direta ficava descartada por definição. E, no entanto, era inevitável que a mediação caísse, não tanto por sua eliminação quanto por um excesso que a tornava mundo e permitia apreender o mundo mesmo, nu e originário, nos seus sinais. No fim das contas, é algo que acontece na vida de todos os dias. A gente começa a conversar com o próximo e procura saber o que está pensando. Parece impossível chegar a averiguar a não ser por uma longa série de inferências. O que existe de mais fechado e mediado do que a atividade psíquica? E mesmo assim ela se expressa na linguagem, que está no ar e só pede para ser ouvida. A gente se esmaga contra as palavras e, sem saber, já chegou do outro lado, e está no corpo a corpo com o pensamento alheio. Para um pintor ocorre o mesmo, mutatis mutandis, com o mundo visível. Acontecia ao pintor viajante. O que dizia o mundo era o mundo.

E agora, como complemento objetivo, o mundo tinha parido repentinamente os índios. Os mediadores não compensáveis. A realidade tornava-se imediata, como num romance. Só faltava a concepção de uma consciência que fosse não só consciência de si mesma, mas também de todas as coisas do universo. E não faltava, porque era o paroxismo.

A tarde não foi uma repetição da manhã, nem mesmo invertida. A repetição é sempre e somente a espera da repetição, não a própria repetição. Mas dentro do paroxismo não se esperava nada. Simplesmente as coisas sucederam e a tarde surgiu diferente da manhã, com suas aventuras próprias, seus descobrimentos, suas criações.

No fim, Rugendas caiu sobre o papel, tombou, presa de uma horrível desintegração cerebral. Atrás do círculo de renda preta, que a respiração inflava e desinflava com dificuldade, ouviam-se uns gemidos sem força. Resvalou pelo pescoço do Raio, com o carvãozinho ainda fazendo piruetas no ar, e foi ao chão. Krause apeou para auxiliá-lo. Lá longe, numa moldura soberba de rosas e verdes, os índios se perdiam em debandada, tão minúsculos como se estivessem montados em mosquitos.

Krause, como uma madona dolorosa, sustentava o corpo desmaiado do amigo e mestre, sob coroas de folhagem multiplicadas ao infinito. Os trinados de uma *Cefalonica celeste* rodeavam o silêncio. Caía a tarde. Vinha caindo fazia um bom tempo.

Com as últimas luzes, que se prolongavam milagrosamente, soldados e fazendeiros confluíam no forte para fazer um balanço do dia. Os cavalos estavam exaustos, os ginetes iam cabisbaixos e falavam com roncos fúnebres; todos estavam sujos de pólvora, empoeirados, alguns dormiam pelo caminho. Krause se uniu a um dos bandos, tendo jogado Rugendas no lombo do cavalo, dormindo à força de pó de papoula, com a cabeça pendendo de um lado, à altura do estribo, que como um badalo lhe dava um "toc" a cada passo. Chegaram ao forte já com a noite fechada, e ainda bem que chegaram porque era uma noite completamente escura.

Às duas horas Rugendas acordou, num estado deplorável. As alternâncias de saúde e doença que suportara ao longo desse dia incrível o deixaram miserável. O que fez foi começar imediatamente a trabalhar. Mas aqui aconteceu uma coisa bastante curiosa e foi que não tirou a mantilha, simplesmente porque esquecera de que a estava vestindo. Na sala de administração do forte, onde se encontrava, havia apenas um par de velas acesas, e no enorme recinto reinava uma penumbra tenebrosa. Com o véu, o pobre pintor não via nada, e não sabia disso. Tantas alterações sua visão tivera durante o dia que no momento dava-lhe na mesma não ver. Na cegueira, seus movimentos fizeram giros fantasiosos e sua manipulação dos papéis chamou a atenção. Porque lhe ocorrera fazer uma classificação de cenas; e como não as via, se misturavam tanto que reproduzia, com todo o seu corpo e com as imagináveis restrições impostas por seus nervos rotos, as posturas dos índios. Krause não pôde suportar a vergonha alheia e saiu discretamente, como se fosse realizar alguma função fisiológica. Um pouco mais brutais, soldados e fazendeiros admiravam absortos a marionete com a cabeça enrolada. A nenhuma das duas partes ocorria a solução natural, que era arrancar esse trapo: a Rugendas porque chegara a se tornar natural, demasiado natural; aos outros, pelo inverso; o único que por se encontrar no ponto médio poderia ter tido a sensata ideia, não estava presente.

Nesse momento, Krause estava vivendo a própria revelação. Ao sair, deprimido e preocupado com tudo, enfrentara a mais escura das noites. Por puro resíduo visual sentia os bosques e as montanhas, como massas pretas fundidas no preto geral. Nos seus melancólicos pensamentos deixou passar um lapso de tempo, não muito bem definido, e de repente notou que estava vendo tudo: as montanhas, as árvores, os caminhos, os panoramas em perspectivas um pouco oníricas... Via, ou sabia? Pensou no prodígio ultrafisionômico do olhar, a dilatação da pupila e a grande leitura do cérebro. Não havia nada disso. Só saíra a lua. No entanto, acertara de qualquer jeito.

Lá dentro também ficaram esperando que a lua saísse para cada um empreender o retorno para casa. Colocaram os chapéus e já estavam saindo. Foi então que Rugendas, que estivera ouvindo as conversas com alguma margem de atenção, fez uma associação de ideias e, vendo o dono da casa em que se hospedara na noite anterior, que o convidava para se reunir a eles, lembrou da esposa deste, e da mantilha, e então sim, levou as mãos à cabeça, apalpou a renda, deu-se conta de que a vestia e a arrancou sem se preocupar em desfazer os nós. Sem se dar conta de que tinha virado um trapo imundo, malcheiroso e impregnado de gordura, suor e poeira, estendia-a ao fazendeiro tratando de pronunciar, com a língua presa, um agradecimento à sua esposa... Todos os olhares tinham se fixado nele, com assombro igual ao espanto. Quando o seu interlocutor pôde falar enfim, balbuciou uma negativa, ainda sem tirar a vista de cima dele: queria dizer que poderia devolver e agradecer ele próprio à senhora, já que supunha que o acompanhariam no retorno à fazenda, para pernoitar. Mas como o monstro insistia, pegou-a, interrompeu a conversa, que não tinha mais para onde ir, e ficou olhando-o fixo. Que feio! Se não havia aceitado logo essa capa imunda, era porque inconscientemente queria dizer: deixe-a vestida.

Saíram todos juntos e Krause, ao vê-los, foi buscar os dois cavalos; ele também dava por certo que retornariam à fazenda de onde tinham partido de manhã. Ao vir com os dois bichos pelos freios, demorou um instante para se dar conta de que o amigo tinha tirado a máscara. Para ele também, mesmo que pelo outro lado, ela se tornara natural. A luz da lua batia em cheio no rosto, que agora parecia maior e mais terrível. Ficou suspenso por um instante. Os homens começaram a montar e a ir embora. Krause tinha pensado que teria de carregá-lo, mas Rugendas estava em pé e, exceto o rosto, bastante sólido. O rosto ocupava os compartimentos da noite. Era a lua que iluminava o rosto, ou o rosto que iluminava a lua?

Fosse como fosse, Rugendas tinha outros planos. Para imensa surpresa de Krause, tinha planos para a noite. Parecia incrível, mas queria continuar as atividades. Que importava a doença, se justamente os remédios que tomara para combatê-la o faziam recomeçar tudo com perfeita energia? E recomeçar era a tarefa mais repetida do mundo. De fato, somente aí se dava a Repetição: no começo. Era Krause, não ele, quem pelo efeito da saúde estava numa linha única, num contínuo, sem começo nem fim.

Não entendeu o que disse. O rosto impusera-se a todo o resto, mesmo à palavra. Além disso, não havia tempo para falar porque já estavam cavalgando, só eles dois, e não rumo à fazenda, mas bosque adentro, pelo matagal, pelas gargantas, os cavalos sapateando como polvos de bronze, para o sul, para o desconhecido, navegando a bússola facial. Silhuetas altas e delgadas, como se cavalgassem em girafas, tudo no escuro e, no entanto, visível, precipitavam-se sugadas a cada vez por uma placa de espaço diferente e mais distante, filtravam-se nos cinzas da escuridão. Os ecos do galope se adiantavam a eles e rebatiam avisando-os dos obstáculos. Nisso pareciam com os morcegos. Mas, além de parecer, roçavam com morcegos, de que essas encostas estavam repletas, e a essa hora saíam das covas. É estranhíssimo sentir o toque de um morcego, porque esses animaizinhos são dotados de um mecanismo antichoque infalível. Mas o toque não é um choque e, por vezes, a própria velocidade o permite. Foi o que aconteceu nessa ocasião com Rugendas. Um morcego em direção contrária à sua acariciou-lhe a testa. Foi apenas um centésimo de segundo; poderia ter se confundido com a passagem de uma brisa, ou a excitação casual de uma célula. Mas a delicadeza sempre tem uma explicação no mundo da natureza. E essa delicadeza era suprema, não podia haver nada igual, não só pela mecânica com a qual se realizava, mas sobretudo pela matéria sobre a qual se dava: uma testa em que todos os nervos haviam se desenganchado. Como pedir mais suavidade, mais sutileza?

Essa parte final do episódio foi mais inexplicável ainda que o resto. Mas não podemos duvidar da sua realidade porque ficou documentada no epistolário posterior do artista. Nele, ele se desculpa com familiares e amigos, com a irmã sobretudo, pelo que chama de sua "ousadia", e que foi antes temeridade: ver os índios de perto para tomar os primeiros planos e completar os esboços do dia. Claro que nas suas palavras seria preciso ler uma certa ironia. No fim das contas, o que podia lhe acontecer? Que o matassem, só isso. E isto era um detalhe sem importância. De fato, quando seus correspondentes vissem os quadros resultantes, quer dizer, quando sua produção chegasse às galerias ou museus europeus, com toda certeza ele já estaria morto. Era um pouco absurdo querer preservá-lo. Qualquer pequeno ou grande acidente podia matar um homem, ou mil, ou milhares de milhões de uma vez. Se a noite matasse, morreríamos todos pouco depois do pôr do sol. Rugendas podia dizer como todo mundo, e especialmente depois do que lhe havia ocorrido: "já vivi o bastante". Como a arte é eterna, nada se perde.

Ele abria a marcha. Ouvira os soldados dizerem no forte que os índios costumavam fazer um bivaque não muito longe quando as batalhas terminavam. Cansados das distâncias que davam forma ao *malón*, eram a primeira coisa que abandonavam, e permaneciam a dois passos.

Fosse por isso ou pela velocidade da correria, chegaram quase de imediato. O lugar era uma cascata, junto à qual se estendia um grande platô de xisto rosado, e sobre este os índios estavam jantando. Tinham feito fogueiras e estavam sentados em círculos ao redor. Não eram mil. Isso teria sido um exagero. Eram cem. As vacas roubadas estavam na clareira adjacente, rodeadas pelos cavalos, que as impediam de se dispersar. Carnearam uma vintena, para assar costelas e lombos, e já tinham começado a comer. Dizer que ficaram atônitos ao ver irromper no círculo de luz o pintor monstro seria pouco. Não davam crédito aos próprios olhos. Não podiam. Eram uma fraternidade de homens: não havia mulheres nem crianças entre eles. Se tivessem desejado, dissessem o que dissessem, teriam podido voltar com o butim para suas tendas numas poucas horas de marcha. Mas aproveitavam a noite livre: com a desculpa do *malón*, deixavam as esposas esperando, preocupadas e mortas de fome. E não é que precisassem se esconder delas para se embriagar e fazer barbaridades; faziam-no porque eram incorrigíveis e mais nada, como um suplemento maldito de suas correrias. Justamente, tinham começado bebendo, num puro aperitivo andino, do bico das garrafas que conseguiram roubar. A bebedeira e o sentimento de culpa se juntaram num espanto único ao ver esse rosto iluminado pela lua, esse homem que se tornara todo cara. Nem sequer viram o que fazia: viam-no. Jamais poderiam ter adivinhado de onde saía. Como iam saber que existia um procedimento de representação fisionômica da natureza, um mercado ávido de gravuras exóticas etc.? Se nem sequer sabiam que existia a arte da pintura; e não porque não tivessem uma, mas porque tinham-na em forma de um equivalente, qualquer que fosse (não sabiam qual era).

De modo que Rugendas não teve o menor inconveniente em se somar à roda do fogo, abrir o seu bloco de bom papel canson e pôr em ação o carvão e o sangue. Agora sim os tinha bem perto, com todos os detalhes: as bocarras de lábios feito salsichas esmagadas, os olhos de chinês, o nariz feito um oito, as listras do cabelo duras de gordura, os pescoços de touro. Desenhava-os num abrir e fechar de olhos. Estava aceleradíssimo (em termos de procedimento) pelo efeito rebote da morfina. Passava de uma cara a outra, de uma folha à seguinte, como o raio que cai sobre a pradaria. E a atividade psíquica a que isto o induzia... Aqui é preciso fazer uma espécie de parêntese. A atividade psíquica se traduz em gestos da face. No caso de Rugendas, com os nervos do rosto todos cortados, a "ordem de representação" que procedia do cérebro não chegava ao destino ou, melhor dito, chegava, isto era o pior, mas deformada por dezenas de mal-entendidos sinápticos. Seu rosto dizia coisas que na realidade ele não queria dizer, mas ninguém sabia, nem ele, porque ele não se via; ao contrário, a única coisa que via eram os rostos dos índios, horríveis também, à sua maneira, mas todos iguais. O dele não era parecido com nada. Tinha ficado como essas coisas que nunca são vistas, como os órgãos de reprodução vistos de dentro. Mas não exatamente como são, porque nesse caso seriam reconhecíveis, mas mal desenhados.

As línguas de fogo elevavam-se das fogueiras e lançavam reflexos dourados sobre os índios, acendendo um detalhe aqui e outro lá, ou apagando-os numa fulminante varredura de sombra, dando movimento ao gesto absorto e atividade contínua à estupefação idiota. Tinham começado a comer, porque era mais forte do que eles, mas qualquer coisa que fizessem os devolvia ao centro da fábula, onde a bebedeira continuava se multiplicando. Na noite de um dia de correrias, se apresentava um pintor a lhes revelar a verdade alucinada do que acontecera. Começaram a gemer as corujas nos bosques profundos e os índios aterrorizados ficavam presos em redemoinhos de sangue e ótica. Sob a luz bailarina do fogo, seus rasgos deixavam de lhes pertencer. E ainda que pouco a pouco recuperassem certa naturalidade, e começassem a fazer piadas barulhentas, os olhares voltavam imantados a Rugendas, ao coração, ao rosto. Ele era o eixo do que parecia um pesadelo acordado, a realização do que o *malón* mais temera nas suas muitas manifestações no curso do tempo: o corpo a corpo. Rugendas, de sua parte, estava tão concentrado nos desenhos que não se dava conta de nada. Drogado pelo desenho e pelo ópio, na meia-noite selvagem, efetuava a contiguidade como um automatismo a mais. O procedimento continuava agindo por ele. De pé às suas costas, oculto nas sombras, o fiel Krause vigiava.

24 de novembro de 1995

Posfácio

Não sei se é possível afirmar que a aventura do pintor viajante é boa a ponto de ser difícil de acreditar que foi escrita por Aira. Essa observação, feita por Sandra Contreras,* estudiosa argentina, autora de um inigualável estudo sobre o escritor, tem algo de ironia e impaciência. Por um lado, é irônica porque o próprio Aira vive dizendo que almeja escrever mal. Por outro, o comentário aponta para uma insatisfação com a falta de limites de muitas narrativas do autor que desembocam em desvario alucinante, testando a paciência do leitor.

* Sandra Contreras, *Las vueltas de César Aira*. Rosário: Beatriz Viterbo, 2002, p. 35.

Não é isso o que acontece com este livro. Com ele, Aira resgata um dos temas que volta e meia reaparecem no centro de suas preocupações: a reflexão sobre a representação artística.

Como também é típico de Aira, nada, no entanto, é tão evidente como parece. À primeira vista, a narrativa pode revelar interesse apenas biográfico por Johann Moritz Rugendas, um dos muitos viajantes que, no século 19, visitaram o território abaixo da linha do equador, ainda desconhecido para os europeus.

A história registra que Rugendas inclui a Argentina em seu roteiro de viagem, mas é fortemente desaconselhado por Humboldt, seu mentor intelectual, com o argumento de que ali não encontraria o que valesse a pena registrar. Aira insiste nesse ponto e afirma que Rugendas "tinha criado para si um mito pessoal sobre a Argentina", vendo no vazio pampeano um mistério e uma promessa. Aí começa a aventura, a "perigosa ilusão" que conduz a inquietação de Rugendas em direção ao desconhecido.

A operação empreendida por Aira é intrincada porque o narrador passeia com desenvoltura pelos dados documentais sobre a viagem que o pintor alemão fez à Argentina acompanhado do também pintor Robert Krause, oferecendo ao leitor logo nas primeiras páginas uma espécie de verbete enciclopédico sobre Rugendas. Sendo fiel às informações sobre a genealogia familiar do pintor e a suas filiações artísticas e científicas, Aira faz com que o início de seu relato mimetize o desejo e a missão documental do artista de capturar a paisagem.

A verossimilhança dessa dicção é tão grande que leva Lucile Magnin, uma estudiosa dos viajantes europeus e deste livro de Aira em particular, a duvidar que o autor não tenha consultado ou tomado por base os diários de Krause, nos quais está registrada a jornada dos dois pela Argentina.*

* Lucile Magnin, "Una vida de artista viajero, entre ficción y realidad. Rugendas, un personaje de novela". In: Pablo Diener, Maria de Fátima Costa (Orgs.). *Rugendas: el artista viajero*. Santiago: Biblioteca Nacional de Chile/Centro de Investigaciones Diego Barros Arana, 2021.

Em vez de insistir na semelhança das situações retratadas no romance e nos diários de Krause, seria interessante se perguntar por que Aira escolhe esse mimetismo, assumindo, no início da aventura, a voz de um narrador condescendente que guia o leitor pela narrativa e modera seu ritmo de leitura, alentando o suspense em torno do "episódio" que sucederá, projetando então a curiosidade do leitor pela peripécia e postergando a revelação: "o propósito original era atravessar todo o país, até Buenos Aires, e daí subir até Tucumán e depois Bolívia etc. *Mas não foi possível*".

Pode-se dizer que Aira performa a linguagem documental, imita a biografia clássica, como artifício (ou *procedimento*, para usar um vocabulário caro ao autor) ou ponto de partida para as liberdades que toma, pois o acidente sofrido por Rugendas é reconfigurado para os propósitos do próprio romance e constitui uma guinada no modo como o pintor entende sua arte e, por tabela, como o narrador vai conduzindo a reflexão sobre os modos de a arte lidar com a realidade.

A sanha cientificista de Alexander von Humboldt é o farol que motiva Rugendas a cruzar as fronteiras brasileiras e a se aventurar até o México, embrenhando-se pelas montanhas chilenas até chegar ao pampa argentino para capturar a fisionomia da paisagem, mas a viagem empreendida por Rugendas pelo território argentino dura poucos dias e é interrompida pelo acidente. Esse dado da biografia de Rugendas é o mote para a ficção, que começa com uma explanação sobre a trajetória artística do pintor e espraia-se em reflexões sobre a arte feitas por Aira.

O tema do olhar estrangeiro que imagina uma representação do país também é muito familiar a nós, brasileiros, não apenas porque parte da fama conquistada por Rugendas está relacionada à publicação na França, anos depois de sua estada no Brasil, do famoso *Viagem pitoresca através do Brasil*, mas mais especificamente porque o caráter documental de seu registro inventa uma comunidade imaginada que se espelha na exuberante natureza e no exotismo de seu povo e seus costumes: o diferente, o estranho, o selvagem, o outro.

Aira aproveita a brevíssima passagem do artista pela Argentina, marcada pelo acidente que aborta a intenção inicial de Rugendas de chegar até Buenos Aires, para especular sobre o papel da arte na invenção da nacionalidade argentina. Assim, *Um episódio na vida do pintor viajante* é também um relato de travessia pelo pampa, tão presente nos clássicos argentinos do século 19, que resgata o vazio pampeano, a presença de indígenas, a luta da civilização contra a barbárie, o grande desafio para o país, segundo *Facundo: civilização e barbárie*, de Domingo Faustino Sarmiento, e que estão presentes no que se costuma chamar de "ciclo pampeano" de Aira: *Moreira*, *Ema, la cautiva*, *La liebre*, *O vestido rosa*. No entanto, neste livro, tais temas aparecem como cenário da inquietude maior sobre como a arte maneja a realidade.

Sabemos detalhes do acidente real por meio do diário de Krause, que encontra Rugendas ferido depois de cair de seu cavalo e realiza o resgate do amigo. No livro, o acidente, narrado de maneira cômica, deixa em situação ridícula o próprio Rugendas, e também é a oportunidade de uma vingança da natureza contra os viajantes, que são colhidos por uma terrível tempestade, que contrasta com as "chuvinhas benévolas" do início da viagem.

A descrição idílica da paisagem também é simulada pela narrativa que, logo depois do acidente, muda radicalmente. Já que, ainda no hospital, Rugendas só vê monstros ao seu redor: "metade homens metade animais, produto de acidentes genéticos acumulados. Eles não tinham cura. Viviam ali".

A parte inicial do romance funciona, então, como um "laboratório para a ficção" (a expressão é de Contreras),* no qual também é possível capturar certa *ars Aira*, seu pensamento sobre a literatura, como acontece em muitas outras obras do autor (*El náufrago*, *Cecil Taylor*, *Las*

* Sandra Contreras, ibid., p. 61.

conversaciones, por exemplo) nas quais a ficção é o espaço da especulação sobre a própria ficção que se elabora.

A partir do acidente, a narrativa propõe mais claramente uma reflexão estética sobre o que pode a arte. O rosto de Rugendas fica deformado e o pintor precisa das drogas para tolerar as dores que sente. O acidente funciona, então, como um *turning point* também para a *novelita*, porque vai abandonar a mimetização da dicção documental e investir na especulação filosófica, detendo-se na "transvaloração da pintura" operada pelo próprio Rugendas, que passa a questionar seu método, a arte fisionômica da natureza e começa "a notar que cada traço do desenho não devia reproduzir um traço correspondente da realidade visível, numa equivalência um a um".

Mesmo antes de Aira ganhar o status de autor nobelizável, este romance alcançou aceitação quase unânime, com edições pela América Latina e traduções para o francês e o inglês. Há também extensa fortuna crítica sobre ele e até mesmo uma tese da mesma Lucile Magnin,* que eu chamaria de aireana, com mais de setecentas páginas apenas sobre esse romancinho. Boa parte do comentário sobre o livro aponta a viagem como um mote explorado por Aira para caracterizar as transformações sobre a concepção de arte, que vão desde seu caráter documental, de imitação da realidade, na tentativa de capturá-la como um reflexo, até as experiências vanguardistas do início do século 20, em especial o surrealismo, estética tão cara ao autor argentino.

Fica claro que o caráter documental da arte é satirizado na obra. O sucesso das reproduções de Humboldt na Europa torna a arte um gadget, ilustra porcelanas, forma um público ávido para

* Lucile Magnin, "*Un episodio en la vida del pintor viajero*" *de César Aira*: *le peintre voyageur dans l'Amérique latine du XIXe siècle entre littérature, art et science*. Tese elaborada no departamento de Línguas, Literaturas e Ciências Humanas do Instituto de Línguas e Cultura da Europa e da América, Universidade de Grenoble, 2012. 715 pp. Disponível em: <theses.hal.science/tel-00787085/>. Acesso em: 19 nov. 2024.

consumir uma estranheza domesticada. Mas à medida que Rugendas vai adentrando o território argentino, é como se suas convicções artísticas, seu procedimento documental, a representação totalizadora que rege seu anseio de registrar o que vai encontrando pelo caminho, encontrasse um obstáculo: "Como tornar verossímeis esses panoramas?", pergunta-se Rugendas. Diante dos planos do pampa, "sobravam faces ao cubo" e o pintor confiante cede a "velhas dúvidas renovadas e proposições vitais".

Mas como estamos lidando com Aira, nada é o que parece. O acidente não marca exatamente um clímax que determina uma transformação radical, mas é indício de uma nova repetição, outra tentativa de Rugendas de capturar o que tem diante de si. Aira parece fascinado com a inquietude do próprio Rugendas e com as transformações que podem ser observadas no conjunto da obra do artista alemão. Há as litografias, os desenhos a lápis, os esboços a óleo.

Para Aira, então, interessam as investidas experimentais que tentam dar conta de um paradoxo: a pintura quer registrar a paisagem ("tudo era documentação!"), mas o território desafia o olhar do pintor, questiona seu método e força a mudança dos procedimentos e dos materiais com os quais trabalha e, assim, o artista é levado a inventar. Aira toma a trajetória de Rugendas como metonímia dos impasses que a arte enfrenta na representação da realidade, dos próprios embates como autor com o que escreve.

Ele sugere que esse embate é a repetição fundamental a que todo artista está condenado. Esse desejo está por trás tanto da pulsão documental quanto dos experimentos vanguardistas, por mais distintos que sejam seus métodos. Mas o mais interessante é o modo como as diferentes estéticas lidam com o processo de captura do que veem como realidade: "o que importava para Rugendas estava na linha, não no extremo. No centro impossível. Onde apareceria finalmente alguma coisa que desafiaria o seu lápis, que o obrigaria a criar um novo procedimento". Esse avançar sempre em direção ao desconhecido é o elogio de Aira à arte, à literatura.

Ainda sob o efeito dos medicamentos, Rugendas parte para encontrar-se com uma lenda, quer presenciar um *malón*, um ataque indígena às fazendas para roubar animais e mulheres. Vai, enfim, poder experimentar aquilo de que apenas ouviu falar ou que leu em "La cautiva", obra de Esteban Echeverría. A representação de seus modelos, os indígenas, também muda, pois transformam-se de personagens costumbristas associados à paisagem em selvagens que violentam os bens e as mulheres, roubando gado e fazendo prisioneiras as senhoras.

Aí, então, podemos perceber a repetição como um procedimento. Rugendas está insatisfeito com a prática objetivista que rege seus esboços a lápis e quer experimentar a ação, quer registrar a velocidade com que os indígenas se movimentam, quer capturar a cena em seu instante. Enfim, quer capturar o realismo da situação real. Muda seu procedimento e inclusive sua técnica, pois é aí que o pintor investe no esboço a óleo, aproximando-se dos primeiros experimentos com o impressionismo. Mas persistem a busca pela verossimilhança documental e a consciência de seu fracasso.

Nesse momento, o romance também acelera seu ritmo, deseja capturar a velocidade com que Rugendas, freneticamente, quer capturar as cenas que se desenrolam diante dos seus olhos, faz esboços apressados, chega a substituir o desenho pela escrita, confundindo-os, como afirma o narrador: "Krause sacou o revólver e atirou duas vezes para o ar; Rugendas estava tão compenetrado que se limitou a escrever na sua folha: BANG BANG". E é também nesse momento que Aira aproveita para representar uma cena icônica para o imaginário nacional argentino:

> Um passou abraçando uma "cativa" que era uma terneira branca, na qual fazia afagos jocosos. Os tiros dos soldados multiplicavam-se,

como se a chalaça os deixasse furiosos, mas talvez não fosse assim. E noutra passada, já no cúmulo da extravagância, a "cativa" era um salmão descomunal, rosado e ainda úmido do rio, atravessado sobre o pescoço do cavalo, abraçado pela forte musculatura do índio, que com seus gritos e gargalhadas parecia dizer: "levo esta para reprodução".

O rapto da *cautiva* é um dos mitos fundadores argentinos que justificam o mote da luta entre a civilização e a barbárie para a fundação da nacionalidade argentina. Recuperando essa imagem clássica, Aira satiriza a criação de um mito nacional, aprofunda sua farsa, apelando à imagem surrealista que substitui a cativa por um salmão, pois para a História basta a lenda, não é necessária qualquer verossimilhança.

Rugendas acompanha toda ação com uma mantilha preta enrolada à cabeça. Como explicação prática, o próprio Krause afirma que o véu protegerá o pintor da intensidade da luz, amenizará as terríveis enxaquecas que o acometem desde o acidente que desfigurara seu rosto, dando a ele um aspecto monstruoso, protegendo-o também dos olhares curiosos. Embora o narrador não avance em uma explicação, faz questão de dizer que a manta serve "para filtrar a luz" e que com ela era como se Rugendas "tivesse dado mais um passo para dentro dos quadros".

O uso da manta pode ser entendido então como uma demonstração de que Rugendas vai se permitir criar uma linguagem própria, uma espécie de filtro para capturar as cenas que presencia. E o faz, pois os quadros a óleo nos quais, em 1845, ele pinta as cenas de batalha entre os índios e os soldados que tentam evitar o rapto das mulheres esmeram-se na imprecisão dos contornos, na intensidade das cores, sem, no entanto, deixar de lado a visão estereotipada dos indígenas que se consolidará como uma versão documental da história argentina. Curiosamente, o narrador afirma que os índios dirigiam-se aos pintores "como numa ilustração" e o trabalho de Rugendas era representá-

-los no papel, "onde regia uma composição estática verossímil".

A eterna repetição dos procedimentos em busca da captura da realidade pela arte é um "sistema de mediações", essa parece ser a grande descoberta que o leitor faz ao terminar o romance: "A percepção direta ficava descartada por definição". Mas como não é próprio de Aira desejar qualquer finalidade educativa para o que escreve, o que fica é uma antilição para o leitor. Rugendas está sentado com os índios, os vê bem de perto, o que o torna capaz de capturar todos os detalhes, não quer deixar nada escapar, ele próprio é agora um monstro pela deformação causada pelo acidente, e o que se revela nada mais é que outro conjunto de clichês para a descrição dos indígenas: "as bocarras de lábios feito salsichas esmagadas, os olhos de chinês, o nariz feito um oito, as listras do cabelo duras de gordura, os pescoços de touro".

E só então o leitor se dá conta de uma inversão maravilhosa: a prática pretensamente mais documental, que desfruta da contiguidade dos referentes, é aquela capaz de criar, como um automatismo a mais, uma realidade inventada, um mito nacional. Essa antinomia já estava presente no começo da narrativa, que mostra os dois pintores envoltos em elucubrações sobre a ocupação do território: seriam construídas cidades? Haveria guerras? Uma colonização mística? Mosteiros budistas, gigantes, anões. A monotonia da paisagem dá lugar ao que o narrador chama de "passatempos construtivistas", que logo são rechaçados pela falta de credibilidade: "Mas quem acreditaria?". Aira aproveita a reflexão sobre a arte para embaralhá-la à história nacional e conjugá-las em uma só especulação, que problematiza o embate entre o verossímil e o verdadeiro.

As narrativas desse incrível autor argentino sempre contam outra história, e por isso é fácil para o leitor cair na armadilha de ler seus escritos como meras alegorias de outra coisa. Ler os romancinhos de César Aira dessa forma é desrespeitar o convite, a uma só vez jocoso e reflexivo, para empreender uma especulação sem saídas fáceis para o leitor. Espero que esse não seja o caso da leitura proposta por este posfácio.

LUCIENE AZEVEDO

Professora de teoria literária na Universidade Federal da Bahia (UFBA) e autora de Pensar a ficção hoje *(Papéis Selvagens, 2024).*

Título original: *Un episodio en la vida del pintor viajero*

DIRETORAS EDITORIAIS Fernanda Diamant e Rita Mattar
EDITORA Eloah Pina
ASSISTENTE EDITORIAL Millena Machado
REVISÃO Fernanda Campos e Eduardo Russo
DIRETORA DE ARTE Julia Monteiro
IDENTIDADE VISUAL E CAPA Celso Longo e Daniel Trench
IMAGEM DA CAPA *Forèt viérge près Manqueritipa, dans la province de Rio de Janeiro*, 1827 | Instituto Moreira Salles
PROJETO GRÁFICO DO MIOLO Alles Blau
EDITORAÇÃO ELETRÔNICA Página Viva

CIP-BRASIL. CATALOGAÇÃO NA PUBLICAÇÃO
SINDICATO NACIONAL DOS EDITORES DE LIVROS, RJ

A254e

Aira, César, 1949-
Um episódio na vida do pintor viajante. / César Aira ; tradução Joca Wolff, Paloma Vidal ; posfácio Luciene Azevedo. — 1. ed. — São Paulo : Fósforo, 2025.

Tradução de: Un episodio en la vida del pintor viajero
ISBN: 978-65-6000-070-4

1. Ficção argentina. I. Wolff, Joca. II. Vidal, Paloma. III. Azevedo, Luciene. IV. Título.

24-95262 CDD: 868.99323
CDU: 82-3(82)

Gabriela Faray Ferreira Lopes — Bibliotecária — CRB-7/6643

Editora Fósforo
Rua 24 de Maio, 270/276, 10º andar, salas 1 e 2 — República
01041-001 — São Paulo, SP, Brasil — Tel: (11) 3224.2055
contato@fosforoeditora.com.br / www.fosforoeditora.com.br

Este livro foi composto em GT Alpina
e GT Flexa e impresso pela Ipsis
em papel Biblioprint 60 g/m² para a
Editora Fósforo em dezembro de 2024.